Christine Nöstlinger
Lollipop

Christine Nöstlinger

Lollipop

Erzählung

Bilder von Angelika Kaufmann

BELTZ
& Gelberg

Christine Nöstlinger, geboren 1936, studierte an der Kunstakademie und lebt in Wien. Sie veröffentlichte Lyrik, Mundarttexte, Romane, Bilderbücher und Kinderbücher.
Im Programm Beltz & Gelberg sind u. a. erschienen: *Wir pfeifen auf den Gurkenkönig* (Deutscher Jugendbuchpreis), *Maikäfer flieg!* Buxtehuder Bulle, Holländischer Jugendbuchpreis ›Silberne Feder‹), *Hugo, das Kind in den besten Jahren, Der Hund kommt!* (Österr. Staatspreis), *Der Neue Pinocchio* sowie *Der Zwerg im Kopf.* 1972 erhielt sie den Friedrich-Bödecker-Preis für Kinderliteratur. 1984 wurde sie mit der bedeutendsten Auszeichnung auf dem Gebiet der Kinder- und Jugendliteratur geehrt, mit der Hans-Christian-Andersen-Medaille.

Angelika Kaufmann, geboren 1935 in St. Ruprecht bei Villach, studierte an der Akademie für angewandte Kunst in Wien. Studienaufenthalte in der Türkei und in Krakau. Jetzt lebt sie als freie Grafikerin in Wien. Verschiedene Ausstellungen und Buchillustrationen.

Gullivers Bücher (8)
© 1977, 1986 Beltz Verlag, Weinheim und Basel
Programm Beltz & Gelberg, Weinheim. Alle Rechte vorbehalten
Reihenlayout und Einband von Wolfgang Rudelius
unter Verwendung einer Illustration von Angelika Kaufmann
Gesamtherstellung Druckhaus Beltz, 6944 Hemsbach
Printed in Germany
37.89.5
ISBN 3 407 78008 7

Wie Lollipop Lollipop wurde

Er hieß in Wirklichkeit gar nicht Lollipop Meier. In Wirklichkeit hieß er Victor-Emanuel Meier. Victor nach dem Großvater und Emanuel nach dem Großonkel, der sein Taufpate war. Doch der Herr Albrecht, der Mann in der Drogerie, hatte gesagt: »Victor-Emanuel, das ist ein Name für einen König. Italienische Könige haben gern so geheißen!«

Da war Lollipop nach Hause gegangen, hatte sich vor den Spiegel gestellt und lange hineingeschaut. Und nachher hatte er zu sich gesagt: »Nein, ich schaue fast überhaupt nicht aus wie ein italienischer König. Und darum will ich auch nicht länger Victor Emanuel heißen!«

Es war an einem Nachmittag, als Lollipop diesen wichtigen Entschluß faßte, und er mußte ihn ganz allein fassen, denn seine Mutter war noch in der Arbeit, seine Schwester war in der Klavierstunde, seine Großmutter war beim Friseur und sein Großvater war seit Ostern tot.

Für den Fall, daß irgendeinem Leser bei der Aufzählung der abwesenden Verwandten der Vater abgehen sollte, sei gleich – und ein für allemal – gesagt: Lollipop hatte keinen. Also, keinen richtigen. Keinen, der am Morgen zu lange auf dem Klo sitzt und dabei eine Zigarette raucht. Keinen, der gleich nachher seinen Autoschlüssel sucht und alle beschuldigt, sie hätten ihn vertan. Keinen, der zum Lehrer vorgeladen wird und hinterher herumschreit. Und auch keinen, der das Fahrrad reparieren kann und davon erzählt, wie er noch klein war und einmal von zu Hause davon gelaufen ist; mit drei Dosen Makrelenfilets als Reiseproviant.

Lollipops Vater wohnte am anderen Ende der Stadt. Seine Frau hieß Amelie. (Ich erwähne das nur, weil Lollipop den Namen zum Kichern fand.) Drei Kinder hatte der Vater mit dieser Amelie. Und jeden vierten Sonntag im Jahr holte er Lollipop und die Schwester am Nachmittag ab. Dann gingen sie spazieren, und wenn es regnete, setzten sie sich in ein Kaffeehaus. Mehr braucht man über den Vater nicht zu wissen, weil er im ganzen Buch nicht mehr vorkommen wird, denn was an jedem vierten Sonntag am Nachmittag passierte, war in höchstem Maße langweilig. Für Lollipop, für die Schwester und für den Vater wahrscheinlich auch.

Das Aufregendste, was da einmal geschehen ist, war, daß im Kaffeehaus im Bischofsbrot eine Ameise drin war. Totgebacken natürlich. Und daß sich der Vater weigerte, das Bischofsbrot zu bezahlen. »Ein Bischofsbrot mit einer Ameise drin«, sagte er zur Serviererin, »gilt als verdorben und ungenießbar!«

Der Vater stritt lange mit der Serviererin herum, und währenddessen aß Lollipop vor lauter Langeweile das Bischofsbrot auf.

Das Stück um die Ameise herum ließ er natürlich übrig, doch leider rollte es vom Tisch und kugelte unter die

Sitzbank. Sie konnten es nicht mehr finden. Da behauptete die Serviererin plötzlich, die Ameise sei eine Erfindung gewesen. Ohne Beweisstück glaubte sie gar nicht an eine Ameise in ihrem erstklassigen Bischofsbrot. Der Vater mußte das Bischofsbrot bezahlen und schaute sauer. Lollipop und die Schwester fragten sich den ganzen Heimweg über, ob er auf die Serviererin oder auf Lollipop sauer gewesen war.

Lollipop brauchte also einen neuen Namen, weil er kein italienischer König war. Lollipop wären eine Menge Namen eingefallen, doch er wollte, daß alles seine Richtigkeit habe, und er sagte sich: Man tauft sich nicht, man wird getauft!
Also wartete Lollipop, bis die Mutter von der Arbeit kam und die Schwester von der Klavierstunde und die Großmutter vom Friseur. Die Mutter und die Schwester und die Großmutter gaben sich wirklich viel Mühe, aber alle drei zusammen hatten weniger Phantasie als ein altes Pferd. »Pipsi« fiel ihnen ein und »Strolchi« und »Boi« und »Maus« und schließlich sogar »Wutzl«. Doch das sind keine Namen für einen, der bisher wie ein italienischer König geheißen hat.
Lollipop ging im ganzen Haus herum und klingelte an allen Wohnungstüren. Er durfte das, er war bei den Hausparteien allgemein beliebt. Er fragte die Leute im Haus nach einem neuen Namen, aber denen fiel auch nicht mehr ein als der Mutter, der Schwester und der Großmutter. Und etliche Hausparteien meinten sogar,

daß man Namen nicht umändern dürfe, und etliche behaupteten, Victor-Emanuel passe sowieso sehr prächtig zu Lollipop.

Da ging Lollipop zum Otto. Der Otto hatte ein Geschäft gleich nebem dem Haustor, neben der Drogerie vom Herrn Albrecht. Es ist gar nicht so leicht zu sagen, was das für ein Geschäft war. Ein bißchen war es wie ein Milchgeschäft, denn beim Otto konnte man Butter und Rahm und Haltbarmilch kaufen; aber frische Milch führte er nicht. Ein bißchen war der Laden aber auch ein Gemüseladen, denn der Otto hatte Erdäpfel und Schnittlauch und Gurken und Äpfel; aber Pfirsiche und Erdbeeren und Marillen hatte er nie. Und wie ein Zuckerlgeschäft war der Laden auch. Hinter den Glasscheiben vom Verkaufspult hatte der Otto viele Gläser mit Zuckerln stehen, Seidenzuckerln und Hustenzuckerln und Himbeerzuckerln und gemischte Saure. Und viele Schachteln mit Nougatstangen und Gummibären und Zuckerbrezeln hatte der Otto auf den Regalen stehen. Und außerdem verkaufte er noch Nähnadeln und Druckknöpfe und Einziehgummi und Schneiderkreide. Wahrscheinlich stand deshalb über der Ladentür auf dem Holzschild »Gemischtwaren-Handlung«, und wahrscheinlich nannten ihn deswegen viele Leute »den gemischten Otto«.

Lollipop ging zum gemischten Otto ins Geschäft, weil er die Sache mit dem Namen noch einmal überdenken wollte. Er setzte sich auf den Erdäpfelsack – in die Ecke, wo die Waschpulvertrommeln aufgestapelt waren

– und dann nahm er einen Lutscher mit Stiel aus der Schachtel vom Regal neben dem Erdäpfelsack. Einen grünen Lutscher mit Waldmeistergeschmack. Wenn er auf dem Erdäpfelsack saß und einen grünen Lutscher abschleckte, konnte er am besten denken. Das hatte er ausprobiert. Auf dem Erdäpfelsack mit dem Lutscher im Mund fielen ihm sogar Lösungen für ganz komplizierte Schlußrechnungen ein. Sogar für solche, die sie in der Schule noch nicht gehabt hatten!

Die grünen Lutscher mit dem Waldmeistergeschmack kamen aus Amerika. MADE IN USA stand auf der Lutscherschachtel. Und darüber, mit großen, roten Buchstaben in einem blauen Feld: LOLLIPOP. So heißen Schlecker mit Stiel anscheinend bei den Amerikanern.

Lollipop schleckte und dachte über den neuen Namen nach. Doch soviel er auch dachte, er kam bloß zu dem Ergebnis, daß er weiter als italienischer König durchs Leben gehen müsse, weil niemandem ein Name für ihn einfallen wollte, der zu gebrauchen war. Und gerade als er bereit war, sich damit abzufinden, da lehnte sich der gemischte Otto an das Regal, verschränkte die Arme über dem Bauch, grinste, schaute auf die Dauerlutscherschachtel, schaute auf Lollipop und sagte dann: »Na, Lollipop, worüber denkst denn so angestrengt nach?«

So wars! So bekam Lollipop seinen Namen. Es war natürlich ziemlich mühselig für Lollipop, die Leute an den neuen Namen zu gewöhnen. Die Hausmeisterin, die schon recht alt und sehr schwerhörig war, gewöhnte sich besonders schlecht daran. »Wie heißt du jetzt?« fragte sie immer wieder. »Wie?« Lollipop brüllte ihr täglich zehnmal »Lollipop« ins linke Ohr. (Auf dem linken Ohr hörte sie ein bißchen besser.) Die Hausmeisterin bemühte sich wirklich. Aber einmal sagte sie »Wollimop« und dann wieder »Pollilop« und »Pollimop«. Bis ihr Lollipop den Namen auf einen Zettel schrieb. Die Hausmeisterin steckte den Zettel in ihre Schürzentasche und wenn sie Lollipop traf, dann holte sie den Zettel heraus, setzte die Brille auf und las vom Zettel ab: »Servus Lollipop!«

Eine harte Arbeit war es auch, die Frau Lehrerin an den neuen Namen zu gewöhnen. Die war nicht schwerhörig. Aber die wollte einfach nicht. Lollipop sagte der Frau in jeder Pause und vor der Schule und nach der Schule auch, daß er nun »Lollipop« heiße und nicht anders. Es nützte nichts! Dauernd sagte sie »Victor-Emanuel« zu ihm. Bis Lollipop die Geduld riß. Bis er nicht mehr aufstand, wenn sie »Victor« rief. Bis er absolut keine Antwort mehr gab, wenn sie vom »Victor-Emanuel« etwas wollte. Über zwei Wochen hielt er das durch. Sogar als die Frau Lehrerin mitten in der Rechenstunde sagte: »Victor-Emanuel, ich habe ein Schweinchen-Dick-Klebebild für dich! Ein ganz seltenes!« Nicht einmal da rührte sich Lollipop. Dabei sammelte Lollipop Schweinchen-Dick-Klebebilder mit Leidenschaft. Und das, das die Frau Lehrerin gerade hochhielt, das fehlte ihm noch. Und das war in keinem Geschäft aufzutreiben.

Am Donnerstag, in der dritten Woche, in der zweiten Stunde, wo sie Lesen hatten, gab dann die Frau Lehrerin nach. Sie lasen gerade das Märchen von den Sterntalern, und Lollipop bohrte in der Nase und schaute zum Fenster hinaus. Vor dem Fenster war gar nichts besonderes, bloß blauer Himmel mit drei kleinen, weißen Wolken. Aber die Sterntaler war auch nichts Besonderes. Und da sagte die Frau Lehrerin plötzlich: »Lollipop, schau nicht aus dem Fenster, lies mit und bohr nicht in der Nase, Lollipop!«

Von dieser Stunde an hat Lollipop – in der Schule – nie mehr in der Nase gebohrt und aus dem Fenster geschaut und immer mitgelesen. Und die Frau Lehrerin hat zu ihm immer »Lollipop« gesagt. Sie hat sich an das »Lollipop« so gewöhnt, daß sie sogar unlängst, wie die Frau Direktor gefragt hat, ob der Victor-Emanuel noch immer so ein guter Turner ist, glatt behauptet hat, sie habe keinen Victor-Emanuel in ihrer Klasse.

Lollipop braucht einen Lollipop

Lollipop hatte viele Freunde, aber keinen »Freund«. Keinen »besten Freund«. Abgesehen vom gemischten Otto. Doch der Otto war weit über fünfzig. Übernächste Weihnachten wollte er schon in Pension gehen. Fast-Rentner und kleine Buben können natürlich sehr gut miteinander auskommen, aber es ist anstrengend für beide. Der Otto wollte immer reden und reden. Auch zuhören und zuhören. Das war anstrengend für Lollipop. Und Lollipop wollte – zum Beispiel – ein T-Stück mit einem Dreiergewinde. Das brauchte er, weil er an einer Maschine bastelte. T-Stücke mit Dreiergewinde gibt es billig bei den Altwarenhändlern. Das war wieder sehr anstrengend für den gemischten Otto. Stundenlang in der Mittagspause durch die Gassen rennen und bei jedem Altwarenhändler in riesigen Kisten mit Kram nach einem T-Stück mit Dreiergewinde suchen, ermüdet einen Fast-Rentner.

Der gemischte Otto wollte auch keine Comic-Strips lesen. Er wurde ganz wirr davon im Kopf. Die Sprechblasen und die Denkblasen konnte er nicht auseinanderhalten und »i-gitt-i-gitt« hielt er immer wieder für einen Freudenschrei.

Und wenn sich Lollipop beim gemischten Otto über die Mutter oder die Großmutter oder die Schwester beschwerte, dann gab der gemischte Otto Lollipop nicht immer recht. Von einem »besten Freund« wäre das aber zu erwarten gewesen, und darum wollte Lollipop einen Buben zum »besten Freund«. Unter den Freunden von Lollipop gab es genug, die sich gern um die Stelle beworben hätten, doch Lollipop dachte an einen anderen. An einen ganz bestimmten!

Lollipop ging jeden Abend, bevor er sich ins Bett legte, zum Küchenfenster und schaute hinaus. Das Küchenfenster ging zum Hof hin, und hinter dem Hof, hinter einer Mauer, war wieder ein Hof, und dahinter wieder

ein Haus. Mit Küchenfenstern und Gangfenstern und Klofenstern. Die meisten Fenster waren am Abend dunkel. Doch immer, wenn Lollipop am Abend zum Küchenfenster kam, war im anderen Haus, im zweiten Stock, bei einem hellen Fenster, auch einer da. Genau konnte ihn Lollipop nicht sehen. Doch daß er ungefähr acht Jahre alt war und blonde Haare hatte und ziemlich dünn war, das war zu sehen.

Diesen Buben wollte Lollipop zum »besten Freund« haben. Den und keinen anderen! Nun war das aber ziemlich merkwürdig. Lollipop kannte alle Kinder in der Gegend. Aber den »besten Freund« hatte er – außer beim Fenster – noch nie gesehen. Nicht auf der Straße, nicht in der Schule, nicht im Park und nicht im Schwimmbad. Auch in keinem Geschäft beim Einkaufen.

Lollipop ging oft zu dem Haus, wo sein Freund wohnte. Er ging vor dem Haus auf und ab. Er ging auch ins Haus hinein und in den zweiten Stock hinauf. Dort waren sechs Wohnungstüren. Drei davon kamen nicht in Frage, die waren zu weit rechts. Übrig blieben: Hodina und Bunsl und Kronberger.

Lollipop war kein verschreckter Knabe. Aber so einfach bei Hodina, Bunsl oder Kronberger zu klingeln und nach einem zu fragen, von dem er nicht einmal den Namen wußte, das brachte er nicht fertig. Einmal, da wollte er es doch probieren, fast hätte er es auch getan, aber da war eine aus dem ersten Stock, die hatte anscheinend nicht viel zu tun. Die lauerte. Die hatte eine

Nase wie eine Krenwurzel, und stand Lollipop bei einer der drei Türen und hielt den Zeigefinger dicht vor den Klingelknopf und zählte an seinen Hemdknöpfen soll-ich-soll-ich-nicht-soll-ich ab, dann kam die Alte zur Treppe und rief hinauf: »Was schleichst denn in fremden Häusern herum? Schleich dich, aber geschwind!«

Frauen mit Krenwurzelnasen ging Lollipop gern aus dem Weg. Darum sauste er jedesmal die Treppe hinunter und flitzte an der Alten vorbei.

Der gemischte Otto versprach, sich der Sache anzunehmen. Zu ihm kamen ja viele Leute aus der Gegend und die meisten redeten gern mit ihm. »Lollipop«, sagte der Otto, »bis Morgen nach der Schule geb ich dir Bescheid.« Und dann schrieb sich der Otto »Hodina, Bunsl, Kronberger« auf einen Zettel und steckte den Zettel zu den Schaumrollen in den Glasaufbau. Am nächsten Tag, gleich nach der Schule, holte sich Lollipop seinen Bescheid. Der Otto erklärte: »Die Frau Brettschneider, die weiß alles und die hat mir gesagt, daß ›Hodina‹ ein pensionierter Amtsrat mit Dackel ist!«

»Und Bunsl?« fragte Lollipop.

»Wer Bunsl ist, weiß ich von der Frau Simanek. Bunsl ist ein Autobusschaffner samt Frau und zwei schielenden Töchtern.«

»Und Kronberger?« Lollipop war schon ganz aufgeregt.

»Tja, das ist er!« sagte der gemischte Otto und verschränkte die Arme über dem Bauch.

Lollipop setzte sich auf den Erdäpfelsack, nahm einen Grünen mit Waldmeistergeschmack aus dem Regal und rief: »Otto, wenn's leicht geht, red ein bißl schneller. Was ist mit den Kronbergers?«

»Die haben ein Eier-Geflügel-Geschäft«, sagte der gemischte Otto, »und das betreffende Kind hört auf den Namen Tommi!«

Der gemischte Otto redete oft so umständlich, aber Lollipop konnte viel Geduld haben, und so erfuhr er schön langsam, daß die Eltern Kronberger den Tommi jeden Morgen um sieben Uhr ins Geflügelgeschäft mitnahmen und daß der Tommi in die Schule neben dem Geflügelgeschäft ging. Am Abend, so gegen halb acht Uhr, sagte der Otto, komme der Tommi dann mit den Eltern wieder nach Hause. Und am Wochenende fuhren die Kronbergers immer aufs Land, Landeier einkaufen. Da nahmen sie den Tommi natürlich auch mit.

»Und deshalb«, sagte der gemischte Otto, »deshalb sieht man ihn nur am Abend beim Küchenfenster!«

Lollipop suchte im Branchen-Telefonbuch unter: Geflügel – Eier, und fand dort einen R. Kronberger, Brunnengasse 4.

»Sieben Stationen mit dem J-Wagen und dann die erste Gasse hinunter«, sagte der gemischte Otto.

Lollipop kaufte sich in der Trafik einen Kinderfahrschein, einen Vorverkaufsfahrschein. Der war billiger. Dann fuhr er sieben Stationen mit dem J-Wagen und ging die erste Gasse hinunter.

Die Ladentür vom Eier-Geflügelgeschäft hatte ein

Glockenspiel, das spielte »Üb immer Treu und Red-lichkeit . . .« wenn man auf die Türklinke drückte. Hin-ter der Glasvitrine mit Hühnerleber und Entenmägen und Gänsehälsen und Hühnerfüßen stand ein Mann in einem weißen Mantel mit einer Menge Blutflecken drauf. Wenn Lollipop etwas für sein Leben nicht aus-stehen konnte, waren das Blutflecken auf einem weißen Mantel und Geflügelgeruch. Lollipop schmiß es fast aus den Sandalen. Er hielt die Luft an und schaute zu Boden und sagte: »Ein Ei, bitte!«

Der Weiße mit den Blutflecken drückte Lollipop das Ei in die Hand und verlangte zwei Schilling. Lollipop gab ihm zwei Schillinge und verließ den Laden. Er hatte nicht die Absicht, das Ei mit nach Hause zu nehmen. Der Weiße hatte es nicht einmal eingewickelt, und was Blöderes als einen Buben, der mit einem Ei in der Hand durch die Gegend rennt, gibt's ja wohl kaum.

Lollipop sah einen großen Hund. Er wollte schnell über die Straße – auf die hundelose Seite –, das tat Lollipop immer, wenn er einen sehr großen Hund sah. Doch der Hund war schneller. Er sprang auf Lollipop zu und schnappte ihm das Ei aus der Hand. Lollipop zitterte enorm. Er zitterte noch lange. Da war der große Hund schon längst um die Ecke verschwunden. Und Lollipops kleiner Finger hatte einen winzigen roten Tupf. Wenn Lollipop die Haut am kleinen Finger fest zusammendrückte, wurde der rote Tupf etwas größer. Den Tupf hatte der Eckzahn vom großen Hund ge-bissen.

Am nächsten Tag kaufte Lollipop im Eier-Geflügel-Geschäft einen Gänsehals. Der kostete drei Schilling. Und den wurde er auf dem Heimweg auch nicht los. Zweimal legte er ihn weg. Einmal auf eine Bank unter einem Alleebaum. Und einmal auf ein Fensterbrett. Aber jedesmal kam jemand hinter ihm hergelaufen, schwenkte das Sackerl mit dem zusammengerollten Gänsehals und rief: »Burscherl, dein Packerl!«

Lollipops Mutter staunte nicht schlecht, als sie am Abend im Mistkübel den Gänsehals sah. Die Schwester und Lollipop schworen Stein und Bein, vom Gänsehals nichts zu wissen.

»Blödsinn«, rief die Mutter, »einer von euch muß das Ding doch angeschleppt haben!«

Lollipop zuckte mit keiner Wimper, aber die Schwester wurde ganz rot im Gesicht. Das wurde sie immer, wenn die Mutter schimpfte.

»Was schwindelst du denn, du wirst ja ganz rot, man sieht doch, daß du schwindelst«, sagte die Mutter zur Schwester. »Warum sagst du denn nicht, woher du den scheußlichen Gänsehals hast?« fragte die Mutter die Schwester. Ganz eindringlich fragte sie.

Und da wurde die Schwester noch röter im Gesicht. »Ich war's nicht, ich war's wirklich nicht, Ehrenwort«, jammerte die Schwester und war rot im Gesicht wie Edel-Süß-Paprika.

»Jetzt hört aber auf, und macht nicht so ein Affentheater wegen eines blöden Gänsehalses«, sagte die Großmutter. »Soll lieber einer den Mistkübel ausleeren, damit das verdammte Ding nicht zu stinken anfängt!«

Lollipop packte den Mistkübel und trug ihn hinunter.

Am nächsten Tag kaufte Lollipop drei Deka Hühnerleber. Und wieder am nächsten Tag einen Hühnermagen. Und dann einen kleinen Becher Bratfett. Und jedesmal sah er ein kleines Stück von Tommi, und nicht mehr. Da war nämlich – hinter der Glasvitrine – eine Tür zu einem Zimmer. Die Tür war immer halboffen. Eine Frauenstimme und eine Kinderstimme waren aus dem Zimmer zu hören.

Einmal sagte die Frauenstimme: »Iß jetzt, Tommi, und dann mach deine Hausübung!« Einmal sagte die Kinderstimme: »Ich hab gar keinen Hunger!« Einmal sah Lollipop ein Bein von Tommi. Ein wippendes Bein. Und einmal sah er einen halben Tommikopf. Da linste der Tommi bei der Tür heraus. Lollipop war ziemlich ratlos. Außerdem verschlang der Eier-Geflügelladen sein ganzes Taschengeld. Und am Ende der Woche kam Lollipop in arge Bedrängnis.

Die Schwester sagte zur Mutter: »Ich hab's gesehen, Mama! Der Lollipop steigt jeden Nachmittag in den J-Wagen!«

Die Mutter wollte nun von Lollipop unbedingt erfahren, wo Lollipop jeden Tag hinfuhr. Und die Mutter konnte genauso hartnäckig sein wie Lollipop.

»Lollipop, ich muß einfach wissen, was du tust«, sagte sie.

»Nein«, sagte Lollipop.

»Doch«, sagte die Mutter.

»Nein doch!« rief Lollipop. Er war schon ziemlich wütend.

»Schau, Lollipop«, sagte die Mutter, »da sitz ich dann im Büro und der Chef diktiert mir einen Brief, einen mit drei Fremdwörtern in jeder Zeile, aber ich muß immer daran denken, wo mein Lollipop mit der Straßenbahn hinfährt, und da mach ich dann sieben Tippfehler in den Brief hinein, und der Chef schaut bös und gibt mir zu Weihnachten keine Gehaltsaufbesserung!«

Das wollte Lollipop nun wirklich nicht. So erzählte er seiner Mutter vom Freund, der Tommi hieß, auch vom Gänsehals, und sogar vom Ei und vom großen Hund, der ihm fast den kleinen Finger durchgebissen hätte. Und die Mutter lachte über den Hund und das Ei. Das fand Lollipop ärgerlich. Gerade hatte die Mutter gesagt, daß sie sich um ihn so viele Sorgen mache, daß die Briefe voll Tippfehler seien und nun lachte sie, wenn sein kleiner Finger in höchster Gefahr war!

Am Abend kam die Mutter mit zum Küchenfenster, und sie winkte zum Tommi hinüber. Der Tommi winkte zurück. Die Schwester sagte: »Schreib ihm einen Brief, das ist am einfachsten!«

Doch Lollipop war gegen das Schriftliche. Wegen der Rechtschreibfehler. Die Großmutter sagte: »Stell dich in der Früh, um sieben, wenn er aus dem Haus geht, zu seinem Haustor!«

Aber Lollipop war kein Morgenmensch. Um sieben in der Früh war er noch nicht sehr munter. Da war er mundfaul und fast genauso schwerhörig wie die Hausmeisterin. Um sieben in der Früh konnte Lollipop auf keinen Fall einem Buben seine Freundschaft anbieten; noch weniger als im Geflügelladen.

So blieb Lollipop nur mehr eine Möglichkeit, von der er selten Gebrauch machte, weil sie ihm etwas unheimlich war: Der Blick durch den grünen Dauerlutscher. Lollipop hatte das ganz zufällig einmal entdeckt. Er brauchte dazu einen grünen Dauerlutscher der Sorte LOLLIPOP MADE IN USA. Den mußte er sorgfältig abschlecken, von beiden Seiten, aber so, daß er zwar nicht kleiner, aber ganz dünn wurde. So dünn, daß er dann durchsichtig war. Und wenn Lollipop den dünnen, durchsichtigen Lollipop vor sein Auge hielt und das andere Auge zukniff und durch den Lollipop hindurch jemanden anstarrte, dann tat er genau das, was Lollipop wollte. Ohne daß Lollipop auch nur ein Wort sagte!

Lollipop wandte den Blick durch den Lollipop nur im Notfall an. Und jetzt war ein Notfall. Also lief Lollipop zum gemischten Otto hinunter, setzte sich auf den Erdäpfelsack, nahm einen Grünen und schleckte ihn zurecht. Hauchdünn und glasdurchsichtig. Und dann ging er zur Straßenbahn.

»Servus Kleiner«, sagte der Weiße mit den Blutflecken als Lollipop in den Laden kam. »Was soll's heute sein?«

Die Tür zum Hinterzimmer war diesmal geschlossen. Lollipop kniff das linke Auge zu und hielt den Lollipop vor das rechte und starrte den Weißen, der jetzt hellgrün war, an.

»Ja, ja«, sagte der Hellgrüne, »sag einmal, was ich dich schon gestern fragen wollte: Bist du nicht der Bub, der uns gegenüber wohnt, der, den unser Tommi jeden Abend beim Fenster sieht. Der, der ihm winkt?«

Lollipop nickte.

»Ja, ja, natürlich, der bist du!«

Lollipop nickte wieder.

»Na, dann komm doch weiter, unser Tommi wird sich freuen. Er hat nämlich keinen Freund!« sagte der Hellgrüne.

Lollipop steckte seinen Lollipop in den Mund und kam ums Pult herum. Der Weiße machte die Tür zum Hinterzimmer auf. Auf einer Bettbank saß der Tommi. Er las in einer Mickimaus und bohrte dabei in der Nase.

»Ich möchte gern dein Freund sein«, sagte Lollipop.

»Ja gern, wenn du magst«, sagte der Tommi. Und dann spielten sie Domino zusammen und einen Stoß Mickimaushefte sahen sie auch durch.

Der Frau Kronberger gefiel Lollipop. Sie rief Lollipops Mutter im Büro an, und die beiden Damen machten aus, daß Lollipop von nun an jeden Dienstag zu Tommi auf Besuch kommen sollte. Und Tommi würde jeden Freitag zu Lollipop auf Besuch kommen. Und so war's dann auch.

Allerdings stellte sich bald heraus, daß Tommi außer:

»Ja gern, wenn du magst!« nicht viel zu sagen hatte, und außer Domino nichts spielen wollte, und außer Mickimäusen nichts lesen wollte.

»Menschenskind, Lollipop«, sagte die Schwester jeden Freitagabend, nachdem Tommi weggegangen war, »Menschenskind, was findest du bloß an diesem Knülch?«

»Der Kerl hat einen Holzkopf und Blei in den Füßen und Watte in den Ohren«, sagte die Großmutter.

»Er ist mein Freund«, sagte Lollipop, »und ich hab ihn nun einmal!«

Doch wenn nicht gerade Dienstag oder Freitag war, atmete Lollipop schon am Morgen ganz erleichtert auf. Und zum Küchenfenster – am Abend – ging er nie mehr.

Lollipop und die Arbeit der Großmutter

Lollipops Großmutter war Putzfrau im Büro einer Elektrofabrik. Sie putzte dort jeden Tag – außer Samstag und Sonntag – drei Stunden lang, von fünf in der Früh bis um acht. Von fünfzehn Stunden putzen pro Woche hätte Lollipops Großmutter natürlich nicht leben können. Die Großmutter hatte aber noch die Rente vom toten Großvater. Mit der Rente und dem Putzgeld zusammen konnte sie recht gut leben. Sie schenkte Lollipops Mutter sogar oft Geld, denn die Mutter war mit Geld knapp dran.

Für Lollipop und die Schwester war es angenehm, daß die Großmutter so zeitig am Morgen arbeitete. Knapp nach acht Uhr war sie schon wieder zu Hause. Da wusch sie dann das schmutzige Frühstücksgeschirr ab und ging einkaufen und räumte auf und kochte Mittagessen. Wenn Lollipop von der Schule nach Hause kam, standen die Teller auf dem Tisch und der Apfelsaft, und es war für Lollipop eigentlich genauso, als ob er eine Großmutter gehabt hätte, die überhaupt nicht arbeiten ging.

Doch dann wurde der Elektrofabrik – wo die Großmutter putzte – das Haus zu klein, weil die Elektrofabrik immer größer wurde.

»Im Büro hocken sie schon aufeinander wie die Bremer Stadtmusikanten«, erzählte die Großmutter.

Also baute sich die Elektrofirma ein neues Haus, ein größeres. Doch das neue Haus, das war nicht dreimal-um-die-Ecke-herum von Lollipops Wohnung, sondern in einem anderen Stadtteil.

So ein großes Haus ist nicht von einem Tag auf den anderen fertig. Zwei Jahre bauten sie an dem Haus für die Elektrofirma. Und Lollipop hörte die Großmutter auch schon fast zwei Jahre lang sagen: »Wenn die übersiedeln, dann ohne mich! Ich fahr' doch nicht eine Stunde hin und eine Stunde her, damit ich drei Stunden arbeiten kann. So nett sind die auch wieder nicht!« Und sie sagte auch: »Wenn die dann umziehen, suche ich mir eine andere Stelle!«

Lollipop fand, daß die Großmutter recht hatte. Er fand

aber auch, daß ihn das gar nichts anging. Und als die Großmutter erklärte, jetzt sei es soweit, am nächsten Ersten sei der Umzug, da regte sich Lollipop kein bißchen auf. Und daß die Großmutter dauernd den Inseratenteil der Zeitung durchsah, ließ ihn kalt. Ein wenig ärgerte er sich dann, wie die Großmutter die »Stellenangebote« anschauen ging. Erstens, weil sie jeden Nachmittag einmal wegging und nicht da war, um ihm Butterbrote mit Schnittlauch zu richten, und zweitens, weil sie am Abend mit der Mutter dauernd über die Stellenangebote redete. Lollipop fand das langweilig. »Bruttolohn« und »Nettolohn« und »Urlaubsgeld«. Sogar Sachen wie »aliquoter Anteil vom Urlaubsgeld«, sagte die Großmutter. Zum Teufel mit dem »aliquoten Anteil«! Sie sollte lieber mit Lollipop Malefiz oder Schwarzer Peter spielen und Lollipop mogeln lassen.

Doch dann hatte die Großmutter endlich eine Stelle gefunden, die ihr zusagte, und Lollipop atmete erleichtert auf. Er dachte: So, nun wird alles wieder wie früher! War ja auch höchste Zeit! Und er kam sich sehr geduldig und lieb vor, weil er die ganze Rederei und Rennerei um die neue Stelle so still ertragen hatte.

Die neue Putzstelle der Oma war in keinem Büro einer Fabrik, sondern bei einer Familie. Hofstetter hießen die Leute. Bei denen bekam die Oma einen viel höheren Stundenlohn als im Büro der Fabrik. Und die Oma sagte: »Außerdem gefallen mir die Hofstetters. Wir waren uns gleich sehr sympathisch.«

Lollipop fragte erstaunt: »Sag, Oma, stehen denn diese Leute schon so zeitig auf, daß du um fünf Uhr bei ihnen putzen kannst?«

»Nein«, sagte die Großmutter, »dort putze ich erst ab elf Uhr. Das ist auch gut. Da kann ich länger schlafen. Ich bin sowieso nie gern so zeitig aufgestanden.«

»Aha«, sagte Lollipop und dachte noch immer nichts Böses. Er freute sich sogar für die Großmutter, doch als die Großmutter dann sagte: »Dafür arbeite ich dort bis sechs am Abend!« da brüllte Lollipop auf wie ein angeschossener Löwe.

»Und mein Mittagessen?« brüllte er. Lollipop hielt sehr viel von einem friedlichen, gemütlichen, guten Mittagessen. »Und meine Aufgaben?« brüllte er. Lollipop hatte es gern, wenn die Großmutter mit einer Strickerei beim Tisch saß, während er seine langen, fehlerfreien Rechnungen schrieb oder seine kurzen fehlerhaften Aufsätze. Lollipop brüllte auch noch von den Butterbroten mit Schnittlauch. Und daß doch immer jemand zu Hause sein müsse, der ihm einen Knopf annähen könne. Und schließlich brüllte er, brauche er auch jemanden zum Reden. Die Schwester sei manchmal ungeheuer blöde, die sei zum Reden nicht geeignet. Lollipop ließ sich nicht beruhigen.

»Schau doch«, sagte die Großmutter, »dafür gehe ich nur dreimal die Woche zu den Hofstetters. Vier Tage bin ich ab jetzt überhaupt zu Hause!«

Auch das war kein Trost für Lollipop. Er war ziemlich böse und beleidigt.

»Wart nur ab«, sagte die Mutter zu Lollipop, »es wird schon nicht so arg werden, wie du glaubst!«

Lollipop blieb böse und beleidigt und wartete ab, und es wurde noch ärger, als er erwartet hatte. Nicht nur, daß er dreimal die Woche keine Großmutter hatte. Sie wollten auch noch, daß er die entsetzlichsten Dinge tat! Er sollte zu Mittag nach der Schule auf dem schnellsten Weg nach Hause laufen und sich zum Herd stellen und solange in der Erdäpfelsuppe herumrühren, bis die Suppe warm war. Er sollte den schmutzigen Suppenteller in den Abwasch stellen und voll Wasser rinnen lassen. Und er sollte zum gemischten Otto gehen. Aber nicht, um dort auf dem Erdäpfelsack zu sitzen und Grüne zu lutschen, sondern mit einer Liste sollte er zum Otto gehen. Mit einer langen Liste voll langweiliger Sachen wie Mehl und Waschpulver und Zucker und Reis. Sie wollten sogar, daß er die Schuhe vom Schuster holte und die Decke in die Putzerei trug!

Und das Schlimmste war, niemand außer Lollipop selber fand das unerhört. Sogar der gemischte Otto lachte bloß, als ihm Lollipop sein Leid klagte. Und die Frau Lehrerin verstand ihn auch nicht. Als ihr Lollipop sagte, er habe den Aufsatz zu Hause nicht schreiben können, weil er die Wäsche aus der Waschmaschine habe nehmen und im Badezimmer habe aufhängen müssen, da sagte sie: »Lächerlich, Lollipop, das dauert doch nur ein paar Minuten.« Womit sie das Wäscheaufhängen und nicht den Aufsatz meinte. Nur einer verstand ihn. Der Egon, der neben ihm in der Schule saß.

»Lollipop«, meinte der Egon, »hast du nicht eine große Schwester? So eine lange, blonde? Eine, die mindestens um zwei Jahre älter ist als du?«

»Na klar«, sagte Lollipop.

»Dann kapier ich das alles nicht«, sagte der Egon. Er erklärte Lollipop, auch er habe eine Mutter, die in die Arbeit ginge, und Großmutter gäbe es bei ihm zu Hause überhaupt keine. Doch bei ihm zu Hause müsse alles seine Schwester machen. »Erstens, weil sie älter ist«, sagte der Egon, »und zweitens, weil Hausarbeit Frauenarbeit ist!«

An diesem Tag ging Lollipop heiter von der Schule nach Hause, obwohl ein großmutterloser Tag war. Also, er ging eigentlich nicht direkt nach Hause. Vorher lief er noch in den Park und spielte ein bißchen Fußball und dann begleitete er den Egon nach Hause und ließ sich die Markensammlung vom Egon zeigen und dann ging er in die Konditorei auf ein Himbeereis, und dann erst ging er nach Hause. Die Schwester hatte jeden Tag eine Stunde länger Schule, aber sie war schon zu Hause, als Lollipop ankam. Und sie war wütend. Lollipop hatte den Auftrag gehabt, sofort wenn er nach Hause käme, das Backrohr anzuzünden. Im Backrohr standen nämlich die Schinkenfleckerln. Die Großmutter hatte sie am Morgen gekocht und vorgebacken. Bloß die braune Kruste fehlte. Und kalt waren sie natürlich auch. »Wärst du rechtzeitig nach Hause gekommen«, schimpfte die Schwester, »wären die Fleckerln jetzt schon knusprig braun und heiß!«

Lollipop gab keine Antwort.

»Und dabei habe ich einen Hunger wie ein Bär«, schimpfte die Schwester weiter. Sie schaute ins Backrohr. »Jetzt dauert es sicher noch zehn Minuten, bis sie fertig sind!«

Lollipop legte sich der Länge nach auf die gepolsterte Küchenbank und faltete die Hände über dem Bauch.

»Backrohranzünden und Schinkenfleckerln wärmen ist Frauenarbeit, verehrte Schwester«, sagte er.

»Du spinnst, Lollipop«, sagte die Schwester.

Da schloß Lollipop die Augen, lächelte und sprach: »Und übrigens, verehrte Schwester, bin ich der viel Kleinere!«

»Du spinnst, Lollipop«, sagte die Schwester.

Lollipop schwieg und rührte sich nicht mehr. Auch nicht, als die Schwester sagte: »Bitte, steh jetzt auf und hol das Eßbesteck. Die Schinkenfleckerln sind warm.«

Er schwieg und rührte sich auch nicht, als die Schwester sagte: »Lollipop, komm jetzt bitte essen. Und nimm den Apfelsaft aus dem Eisschrank.«

Da stellte sich die Schwester vor ihm auf und sagte ihm allerhand. Daß er übergeschnappt sei und daß sie sowieso viel mehr tue als er. Und daß er sich wie ein Sultan im Harem aufführe. Und daß er ein blöder Bub sei. Und ein fauler dazu. Sie zwickte ihm sogar aus lauter Wut in den Bauch. Sehr fest. Lollipop nahm es hin, ohne mit einer Wimper zu zucken. Und Hunger hatte er ohnehin keinen. Das Himbeereis war eine Familienpackung gewesen.

Als Lollipop meinte, schon eine Ewigkeit lang mit geschlossenen Augen und Händen auf dem Bauch dazuliegen, erinnerte er sich daran, daß Dienstag war und der Tommi im Hinterzimmer auf ihn wartete. Er stand also auf und wollte weggehen, doch die Schwester stellte sich vor die Wohnungstür.

»Nur über meine Leiche«, rief sie, »kommst du da hinaus! Zuerst wäscht du das Geschirr ab!«

»Ich habe nichts gegessen«, sagte Lollipop.

»Trotzdem«, sagte die Schwester.

Da trat ihr Lollipop gegen das Schienbein. Die Schwester gab ihm eine Ohrfeige. Lollipop trat ihr wieder gegen das Schienbein. Die Schwester packte ihn bei den Haaren, Lollipop machte einen Schritt zurück, und weil die Schwester die Haare nicht loslassen wollte, machte sie einen Schritt von der Tür weg. Da zwickte sie Lollipop in den Bauch. Die Schwester ließ die Haare los, um ihren Bauch zu schützen, und Lollipop war bei der Tür draußen.

So ging es ab jetzt fast an allen großmutterlosen Tagen zu. Und an den Abenden dieser Tage war es auch nicht mehr so gemütlich wie früher, denn da beschwerte sich die Schwester bei der Mutter und der Großmutter über Lollipop. Und die Mutter und die Großmutter sagten dann einmal, daß sie über Lollipop sehr traurig seien, und einmal, daß Lollipop ein Miststück sei und einmal, daß Lollipop schon vernünftiger werden würde. Jedenfalls sagten sie gar nichts, was Lollipop Spaß machte.

So streckte er der Schwester an diesen Abenden die Zunge raus, der Großmutter schnitt er hinterrücks Gesichter und zur Mutter sagte er: »Du laß mich schon überhaupt in Ruhe!«

An den Tagen, wo die Großmutter zu Hause war, war es auch nicht schöner für Lollipop. Wenn man einander gestern angeekelt hat und genau weiß, daß man sich morgen wieder anekeln wird, dann gibt man sich auch heute nicht besonders viel Mühe, nett zu sein.

Lollipop litt unter seinem Leben und fand, der Zustand müsse sich ändern. Und zwar rasch. Von der Schwester war nichts zu erwarten. Die sagte immer wieder, daß sie erstens keine Frau, sondern ein Kind sei. Und kaum älter als Lollipop. Und daß das mit der Hausarbeit, die eine Frauenarbeit sein sollte, ein aufgelegter Blödsinn sei. Und die Großmutter lobte ihren neuen Arbeitsplatz über den grünen Klee. Wenn sie von »ihren Hofstetters« anfing, knirschte Lollipop mit den Zähnen. Er mußte oft mit den Zähnen knirschen!

»Bei den Hofstetters«, sagte die Großmutter, »da macht das Arbeiten Spaß!« Sie zählte alle Küchenmaschinen auf, die sie dort hatten, und beschrieb den Teppich-Saugerklopfer-Kehrer, als ob sie einen Werbeprospekt für die Teppich-Saug-Klopf-Kehr-Fabrik schreiben sollte. Sie lobte die Geschirrspülmaschine und pries den elektrischen Wäschetrockner, als ob sie ihn selber erfunden hätte.

Außerdem hatte sich die Großmutter in das Kind der Hofstetters verliebt. Ein Kind, das entweder in der Geh-

schule saß oder auf dem Boden herumkroch. Jedenfalls lächelte das Kind angeblich besonders lieb, wenn die Großmutter zur Tür hereinkam. Und jedenfalls weinte das Kind angeblich, wenn die Großmutter wegging. Und die Frau Hofstetter sagte zur Großmutter immer: »Ich wüßte gar nicht mehr, wie wir ohne Sie auskommen sollten, liebe Oma!«

Lollipop fand das Getue um das Hofstetter-Kind und um die Hofstetter-Maschinen einfach widerlich. Aber daß die Hofstetters zu seiner Großmutter »Oma« sagen durften, das war der Gipfel!

»Lollipop, sei doch nicht so gemein«, sagte die Mutter, »freu dich doch ein bißchen wenigstens, daß es die Großmutter gut getroffen hat und daß es ihr gut geht!« Lollipop freute sich nicht. Auch kein bißchen. Und der Schwester trat er jetzt immer öfter gegen die Schienbeine. Denn die fing auch schon mit den »Hofstetters« an. Es war einfach zum Verrücktwerden! Die Schwester besuchte die Großmutter, wenn die Großmutter bei den Hofstetters war. Die Schwester führte das Hofstetter-Kind im Kinderwagen spazieren. Die Frau Hofstetter schenkte der Schwester einen grünrosa gestreiften Nickipullover für das Spazierenfahren. Der Herr Hofstetter half der Schwester bei der Englisch-Hausübung. Und die Schwester erzählte stundenlang, wo bei den Hofstetters der Farbfernsehapparat stand und wie die HI-FI-Stereo-Boxen an der Wand angeordnet waren und welche Kleider im großen Vorzimmerschrank hingen. Lollipop fand, daß da nur mehr ein gut abgeschleckter, sehr durchsichtiger, grüner Lollipop helfen konnte! Er bereitete den Lollipop sorgfältig vor. Es wurde der durchsichtigste, hellgrünste Lollipop, den Lollipop je zubereitet hatte.

Lollipop legte den Lollipop griffbereit ins Wohnzimmer auf den Couchtisch. Er wartete, bis die Großmutter und die Mutter den Nachtmahltisch abgeräumt hatten und sich in die weichen Sessel setzten und in den Fernsehapparat schauten. Die Schwester saß vor den weichen Sesseln auf dem Boden. Sie häkelte aus rosaroter Wolle eine Mütze für das Hofstetter-Kind. Sie wollte ihm die Mütze zum Geburtstag schenken. Für Lollipop hatte die Schwester noch nie eine Mütze gehäkelt!

Lollipop nahm den Grünen und hielt ihn vor das rechte Auge und kniff das linke zu. Er starrte auf die Großmutter. Er starrte auf die Schwester. Und die Großmutter starrte auf den Fernseher. Und die Schwester starrte auf die Häkelmütze. Lollipop hielt den Lollipop ziemlich lange vor das rechte Auge, dann wechselte er, hielt ihn vor's linke und kniff das rechte zu. Und starrte wieder lange.

»Der Mann hat eine zu große Nase, um wirklich schön zu sein«, sagte die Großmutter zur Mutter. Sie meinte den Mann, der auf dem Fernsehschirm der blonden Dame zulächelte.

»Soll ich jetzt noch einmal sechs Maschen zunehmen?« fragte die Schwester und hielt der Mutter die Häkelmütze hin.

»Ja, nimm noch sechs Maschen zu«, sagte die Mutter.

Aber sie schaute die Häkelmütze gar nicht an, sondern den Mann mit der zu großen Nase.

Wahrscheinlich müssen sie zu mir schauen, damit es funktioniert, dachte Lollipop. Lollipop begann zu husten. Fürchterlich zu husten, mit tief Luft holen und zischend, röchelnd Luft auslassen. Lollipop hatte, als er noch klein war, dauernd Bronchitis gehabt. Er wußte genau, wie man husten mußte, um häkelnde und fernsehende Leute zu interessieren.

Die Großmutter, die Mutter und die Schwester schauten zu Lollipop. »Lollipop«, riefen sie erschrocken, »Lollipop, Liebling.« Sie starrten ihn an.

Jetzt hab ich sie, dachte Lollipop. Gleich wird die Großmutter sagen, daß sie nicht mehr zu den Hofstetters geht.

Die Großmutter sagte gar nichts. Und weil Lollipop nicht mehr hustete, drehte sie sich wieder zum Fernsehapparat.

Nun ja, nun ja, dachte Lollipop. Er rechnete fest damit, daß nun die Schwester gleich sagen würde: Eben habe ich eingesehen, daß Hausarbeit Frauensache ist. Ab jetzt mache ich den Haushalt, weil ich eine Frau bin und auch älter als Lollipop. Und Butterbrote mit Schnittlauch richte ich ihm auch!

Doch die Schwester starrte Lollipop gar nicht mehr an. Sie häkelte schon wieder und zählte dabei die Maschen.

Nur die Mutter kam zu Lollipop her. Sie fragte ihn, ob er sich verkühlt habe, ob er einen Schluck Wasser möge, ob er sich krank fühle. Lollipop schüttelte wütend

den Kopf. Am liebsten hätte er den Grünen weg-
geschmissen. Doch dann ging er mit dem Grünen ins
Badezimmer. Wieso, fragte er sich, wieso funktioniert
er heute nicht? Es ist doch ein echter Notfall! Er hat
doch bisher immer funktioniert! Was ist bloß mit dem
blöden Schlecker? Ist er vielleicht doch nicht durchsichtig genug?

Lollipop stellte sich vor den großen Badezimmerspie-
gel, hielt den Schlecker vors rechte Auge und kniff das
linke zu. Nein, der Schlecker war erstklassig durchsichtig. Lollipop konnte ganz klar und deutlich einen hellgrünen Lollipop sehen. Der hellgrüne Lollipop starrte
aus dem Spiegel heraus, und Lollipop starrte durch den
Lollipop in den Spiegel hinein.

»Verdammt und dreimal zugenäht und nachher noch
einmal umgekrempelt«, murmelte Lollipop ärgerlich,
»sei doch nicht so verdammt widerlich und tu etwas!«

Lollipop murmelte das beschwörend dem Grünen zu.
Doch hinter dem Grünen war ja der Spiegel-Lollipop.
Und der Spiegel-Lollipop zuckte ganz erschrocken zusammen. »O du mein grundguter Schreck«, sagte Lollipop entsetzt zu sich. »Jetzt haben wir den Salat!«

Aber es war bereits zu spät. Der Grüne hatte gewirkt.
Lollipop ließ den Lollipop sinken, seufzte tief auf und
ging in die Küche hinaus. Auf der Abwasch stand das
Geschirr vom Nachtmahl. Lollipop nahm einen Stapel
Teller, stellte sie in das Becken und ließ Wasser darauf
laufen. Und mit einem Putzlappen wischte er sieben
rote Gulaschspritzer von der Kachelwand hinter dem

Gasherd. Und dann sammelte er die grauverfärbten Erdäpfelschalen ein, die am Küchentisch herumkugelten und warf sie in den Mistkübel. Und dann spritzte er Abwaschhilfe mit Zitronenduft auf die Teller und wusch glatt alle Teller ab. Sogar den Küchenboden kehrte er ein bißchen auf. Und »... sei nicht so widerlich und tu was...«, murmelte er dabei ununterbrochen.

Lollipop war ziemlich sauer auf den Lollipop. Doch dann kamen die Großmutter und die Mutter in die Küche, und die beiden sagten, er sei ein ganz prächtiger und sehr vernünftiger Bursche, und sie hätten es ja immer gesagt, daß er einsichtig werden würde. Sie übertrieben enorm. So viel hatte er ja schließlich auch nicht gearbeitet. Trotzdem tat Lollipop das Lob gut. Sehr gut sogar. Und dann kam auch noch die Schwester dazu und fragte ihn, ob sie ihm vielleicht auch eine Mütze häkeln dürfe. Eine blaue mit weißen und grünen Streifen. Mützenhäkeln sei in letzter Zeit ihre große Leidenschaft. Lollipop bestellte sich eine blaue Mütze mit roten und gelben Streifen.

Die Schwester hat die Mütze auch wirklich gehäkelt. Die Mütze wurde wunderschön. Ein bißchen zu klein allerdings. Lollipop mußte sie immer wieder über die Ohren ziehen. Sie rutschte, weil sie so klein war, dauernd nach oben. Aber Lollipop fand sie trotzdem sehr prächtig. Niemand in seiner Klasse hatte eine Mütze von einer Schwester. Und gegen die Schienbeine trat Lollipop der Schwester seither nur mehr selten.

Lollipop und die Schwester bekamen von der Mutter
Taschengeld und von der Großmutter auch. Die Mutter zahlte jeden Montag, die Großmutter jeden Sonntag. Die Großmutter nannte ihr Taschengeld »Sonn-
tagsgeld«. Sie gab Lollipop jeden Sonntag ein Fünf-
Schilling-Stück. Der Schwester gab sie ein Zehn-Schil-
ling-Stück.

»Weil sie größer ist«, sagte die Großmutter, »größere
Kinder brauchen mehr!«

Die Mutter aber sagte: »Das stimmt absolut nicht.
Kleine Kinder brauchen nicht weniger, die brauchen
bloß etwas anderes!« Und sie sagte auch: »Nach dem
Brauchen kann es überhaupt nicht gehen, von mir krie-
gen die Kinder nicht, was sie brauchen, sondern soviel
wie ich übrig habe!«

Und darum sagte die Mutter an einem Montag: »Diese
Woche kommt leider die Licht- und Gasrechnung!«
Dann bekamen Lollipop und die Schwester wenig
Taschengeld. An einem anderen Montag wieder sagte
die Mutter: »Ich habe Überstundengeld bekommen!«
Dann bekamen Lollipop und die Schwester viel mehr
Taschengeld.

Lollipop war bisher mit seinem Geld immer gut aus-
gekommen. Gab es viele Schillinge, kaufte er sich viel
Himbeereis und viele Schweinchen-Dick-Bilder und einen neuen, roten Buntstift. Gab es wenig Schillinge, so

nahm er sich den roten Buntstift von der Schwester und schleckte am Himbeereis der anderen mit, und Schweinchen-Dick-Bilder kaufte er gar nicht.

Lollipops Geldschwierigkeiten fingen an, als die Frau Lehrerin den Egon von Lollipop wegsetzte, weil Egon und Lollipop in den Stunden viel zu viel miteinander getratscht und gekichert hatten. Sie setzte den Egon in die erste Bankreihe. Neben Lollipop saß nun Eveline.

Eveline war das hübscheste Mädchen in der Klasse. Wahrscheinlich sogar das hübscheste Mädchen in der ganzen Schule. Sie hatte goldblonde Locken und eine winzig kleine Nase und ihre Augen waren so blau wie Parma-Veilchen. Lollipop freute sich furchtbar, daß die schöne Eveline nun neben ihm saß.

Gleich in der ersten Pause – neben Lollipop – sagte Eveline: »Du, Lolli, gehen wir zwei nach der Schule auf ein Eis?«

Da freute sich Lollipop noch viel mehr. Das war nämlich eine sehr große Auszeichnung. Sonst ging Eveline nach der Schule immer nur mit dem »schönen Peter« aus der vierten Klasse nach Hause. Und auf ein Eis.

Lollipop hatte eigentlich gedacht, sie würden sich auf dem Heimweg ein Eis im Supermarkt kaufen oder in der Konditorei. Doch Eveline sagte, das Eis im italienischen Eissalon – bei der Hauptstraße unten – sei wesentlich besser. Also ging Lollipop mit Eveline zum italienischen Eissalon. Und dort wiederum dachte er, sie würden sich nun beim Pult aufstellen und eine Tüte Himbeereis kaufen. Doch Eveline sagte, im Lokal zu sitzen und Eis essen sei viel netter. Also setzten sie sich zu den kleinen Marmortischen, zu einem hinter dem Fenster mit den weißen Tüllvorhängen. Dann kam die Serviererin und bei der, meinte nun Lollipop, würden sie jeder eine kleine Portion Himbeereis bestellen. Doch Eveline sagte zur Serviererin: »Einen Coup Melba bitte!« Da bestellte sich Lollipop auch einen Coup Melba.

Er hatte bisher überhaupt nicht gewußt, daß es so etwas gab. Der Coup Melba war eine Kugel Vanille-Eis und darüber ein halber Pfirsich und darauf Schlagobers und herum Kirschen und eine rote Soße, die nach Likör schmeckte. Der Coup Melba war ziemlich gut, aber Himbeereis, fand Lollipop, schmeckte noch besser. Und außerdem war es leichter zu essen. Der Pfirsich nämlich war ziemlich hart und das Eis war ziemlich weich, der Pfirsich glitschte im Eis und im Schlagobers herum, und während sich Lollipop eine Menge Mühe gab, den Pfirsich zu zerstückeln, tropfte das Eis und das Schlagobers über den Becherrand herunter.

»Coup Melba ist Spitze«, behauptete Eveline. Mehr sagte sie nicht. Sie löffelte so schnell Eis, daß sie keine Zeit zum Reden hatte. Mit dem harten Pfirsich hatte sie auch keine Schwierigkeiten. Sie schien an Coup Melba gewöhnt zu sein. Als Eveline das letzte Fuzerl Eis gegessen hatte und das letzte Restchen Schlagobers vom Becherrand geschleckt hatte, trank sie noch die rote Soße weg, dann sprang sie auf.

»Tschüß Lollipop«, rief sie, »ich muß jetzt rennen, die Mami wartet mit dem Mittagessen.«

Und schon war sie aus dem Eissalon draußen. Dabei hatte Lollipop fest damit gerechnet, daß Eveline ihren Coup Melba selber bezahlen würde.

Genau ein Schilling blieb Lollipop, nachdem er der Serviererin die beiden Coups Melbas bezahlt hatte. Und es war erst Dienstag, und gestern war ein fetter Taschengeldtag gewesen. Und extra Geld für einen Malblock hatte er von der Großmutter auch noch in der Tasche gehabt. Lollipop war sauer.

Doch am nächsten Tag in der Schule, als ihn Eveline mit ihren Parma-Veilchen-Augen ansah und sagte, er sei ihr ganz-ganz-süßer-Lollipop und er solle ihr jetzt bitte drei Schilling borgen, weil sie einen Radiergummi brauche, da gab ihr Lollipop seinen letzten Schilling und vom Egon borgte er sich zwei dazu, die gab er ihr auch.

So ging das nun tagtäglich. Einmal mußte Lollipop Eveline ins Zuckerlgeschäft begleiten und für sie zehn Deka Karamellen kaufen, dann war wieder der Eissalon an der Reihe, dann brauchte sie Geld für ein Heft und Geld für die Mickimaus. Und Geld für einen Bleistift. Übrigens aß sie auch immer Lollipops Jausenbrot.

Nach zwei Wochen hatte Lollipop bei vierzehn Kindern in der Klasse Schulden. In den Pausen bekam er nichts anderes mehr zu hören als: »Lollipop, wann krieg ich mein Geld zurück!« Oder: »Lollipop, wenn ich nicht bald mein Geld zurückhabe, dann sag ich es aber wirklich deiner Mutter!«

Eveline hörte das natürlich alles, aber entweder war

sie ein ungeheuer dummes oder ein ungeheuer gemeines Mädchen. Sie wollte weiter Eis und Geld und Zuckerln von Lollipop. Wenn Lollipop sagte: »Bitte, Eveline, ich habe heute wirklich kein Geld!«, dann bekam Eveline ganz schmale, Parma-Veilchen-blaue Schlitzaugen und eine ganz hohe kreischende Stimme.

»Dann muß ich eben wieder mit dem ›schönen Peter‹ in den Eissalon gehen«, rief sie dann mit der hohen, kreischenden Stimme. »Dann mag ich dich nicht mehr«, hieß der Schlitzaugenblick.

Lollipop wußte sich keinen Rat. Er fragte den gemischten Otto. Der Otto meinte: »Lollipop, laß die Gans doch sausen, die beutet dich nur aus!« Das war aber auch kein guter Rat, denn das wußte Lollipop ja selber. Er war ja nicht blöde, er war bloß ungeheuer verliebt in Eveline.

Und dann, an einem der großmutterlosen Tage, die Schwester war gerade in der Klavierstunde und Lollipop stand in der Küche und schnitt die Kranzextrawurst für den Wurstsalat, da klingelte es an der Wohnungstür. Lollipop ging aufmachen. Draußen stand der Egon, er hielt die Hand auf, schaute streng und sagte: »Lollipop, ich brauch mein Geld. Ich krieg vierundzwanzig Schilling von dir. Meine Mutter hat heute Geburtstag!«

An den großmutterlosen Tagen lag immer die alte Geldbörse der Oma auf der Küchenkredenz. Die Oma tat am Morgen Geld hinein, und wenn Lollipop oder die Schwester einkaufen gingen, bezahlten sie aus der

Geldbörse. Und die Rechnungszettel steckten sie dann ins Seitenfach der Börse. Am Abend zählte die Großmutter das übriggebliebene Geld, und die Rechnungszettel zählte sie auch zusammen. Und nie fehlte ein Groschen, denn Lollipop und die Schwester gaben gut acht, wenn sie das Wechselgeld herausbekamen.

Als nun der Egon so dastand und die Hand aufhielt, da nahm Lollipop die Geldbörse der Oma und gab ihm die vierundzwanzig Schilling.

Der Egon sagte: »Na, danke, warum nicht gleich!« und lief weg.

Und Lollipop saß über eine Stunde in der Küche, neben der Kredenz, auf dem Küchenstockerl und dachte nach, wie er der Großmutter die fehlenden vierundzwanzig Schilling erklären sollte. Das war nicht einfach. Nein, das ging einfach nicht! Die Großmutter würde garantiert sagen: »Lollipop, du bist ein Faß ohne Boden!«

Die Großmutter hatte ihm in den letzten Wochen oft Fünf-Schilling-Stücke geschenkt. Nicht nur am Sonntag. Weil Lollipop mit dem Denken nicht vorankam, ging er zum gemischten Otto und hockte sich auf den Erdäpfelsack. Dort konnte er ja am besten denken. Und wie er so hockte und dachte, da sah er die Rechnungszettel, die auf dem Pult vom Otto lagen. Die Rechnungszettel waren weiß. Doch weil Lollipop gerade ein bißchen durch seinen Lollipop schaute, sahen die Rechnungszettel hellgrün aus. Die hellgrünen Rechnungszettel waren keine leeren, sondern beschriebene.

Viele Leute lassen ja die Rechnungszettel einfach liegen, wenn sie aus dem Geschäft gehen.

Lollipop stieg vom Sack herunter und holte sich die
Zettel. Auf etlichen waren recht hohe Endsummen, auf
etlichen aber auch sehr kleine Endsummen. Und dann
entdeckte er einen, da stand darauf:

$$14{,}30$$
$$3{,}20$$
$$\underline{6{,}50}$$
$$24{,}00$$

Lollipop seufzte erleichtert auf. Er warf die Rechnungszettel in den Mistkübel unter dem Pult. Bloß den mit
14,30 und 3,20 und 6,50, den steckte er in die Hosentasche. Und als er wieder zu Hause war, da holte er
ihn heraus.

Neben 14,30 schrieb er: Zeichenblock

Neben 6,50 schrieb er: Radiergummi

Neben 3,20 schrieb er: Bleistift

Dann steckte er den Zettel in die Seitentasche der alten
Geldbörse. Als die Großmutter am Abend das Geld
zählte und die Rechnungszettel addierte, beobachtete
Lollipop sie genau. Doch die Großmutter schaute Lollipops Zettel auch nicht aufmerksamer an als die anderen. Lollipop war erleichtert.

Lollipops Erleichterung dauerte nicht lange. In der
Schule nämlich sprach es sich herum, daß Lollipop dem
Egon die Schulden zurückgezahlt hatte. Da drängten
die anderen Kinder natürlich noch mehr. Und die Eveline wurde auch ganz böse auf Lollipop. Denn es gab in

der ganzen Schule kein Kind mehr, das Lollipop Geld borgte. Nicht einmal wer aus einer anderen Klasse.

»Na, dann eben nicht«, sagte die Eveline und machte Schlitzaugen, »dann darf halt der schöne Peter mit mir in die Konditorei um Schaumrollen gehen!«

Eveline sagte das nicht nur. Sie tat es auch. Nach der Schule zog sie Hand in Hand mit dem schönen Peter ab. Lollipop ging traurig nach Hause.

Nach ein paar Tagen ließ die Traurigkeit wegen Eveline ein wenig nach, aber Lollipop konnte nicht froh werden, denn fast jeden Nachmittag klingelte es nun an der Wohnungstür. Und immer standen Kinder draußen, hielten die Hand auf und sagten: »Mein Geld! Ich brauch' es dringend! Meine Mutter hat Geburtstag!«

Der Egon hatte den Kindern erzählt: »Wenn man zu ihm nach Hause kommt, dann zahlt er!« Lollipop zahlte auch. Zahlte aus der alten Geldbörse.

Die Großmutter fand am Abend jetzt immer die merkwürdigsten Rechnungen. 17,– S stand auf einem Zettel, und Lollipop hatte daneben hingeschrieben: Wurst. Wollte die Großmutter aber von der Siebzehn-Schilling-Wurst kosten, so sagte Lollipop, er habe die Wurst schon aufgegessen. Auch die Äpfel zu 8,90 hatte er schon gegessen. Und daß der Schuster neuerdings dreiundfünfzig Schilling für einen neuen Absatz verlangte, empörte die Mutter ungeheuer. »Der Kerl ist verrückt«, rief sie, »das nächste Mal gehen wir zu einem anderen!«

Lollipops Schwester machte Lollipop auch heftige Vorwürfe wegen des Coca-Colas. »Jeden Tag eine große Flasche«, sagte sie, »das ist einfach zu viel!« Dabei trank Lollipop überhaupt keinen Tropfen Cola. Das Cola trank die Fini. Die Tochter der Nachbarin. Lollipop begleitete sie nur in den Supermarkt und steckte den Rechnungsblock ein.

Nach vier Wochen hatte Lollipop alle Schulden abbezahlt. Und er machte auch keine mehr. Die Eveline ging ja jetzt mit dem schönen Peter. Doch Lollipop, der ein guter Rechner war, wußte auf den Groschen genau, wieviel Geld er der Großmutter in den letzten Wochen aus der Geldbörse genommen hatte. Zweihundertfünfundsechzig Schilling waren es! Lollipop mußte oft an die zweihundertfünfundsechzig Schilling denken, und das war kein gutes Gefühl.

Einmal erzählte die Mutter am Abend von einer Bürokollegin, da sagte sie: »Der ihr Sohn ist ein ganz mieser Kerl. Der stiehlt ihr doch glatt das Geld aus der Tasche, dieses Miststück!«

Der Sohn von der Kollegin war zwar ein erwachsener Mann und er hatte der Mutter mehrere Tausendschilling-Scheine weggenommen, trotzdem kam es Lollipop plötzlich so vor, als sei er genauso ein Miststück wie dieser Sohn. Und Lollipop wollte doch kein Miststück sein.

Am nächsten Tag war Dienstag. Lollipop fuhr ins Eier-Geflügel-Geschäft den Tommi besuchen. Unterm Arm, in die Schachtel verpackt, hatte er sein ferngesteuertes

Lastauto. Das bewunderte der Tommi jeden Freitag bei Lollipop zu Hause.

»Für zweihundertfünfundsechzig Schilling kannst du ihn haben«, sagte Lollipop zu Tommi.

»Ja gern, wenn du magst«, sagte Tommi. Aber sicherheitshalber fragte er auch noch seine Mutter. Die Frau Kronberger hielt das für einen günstigen Kauf. Sie holte die zweihundertfünfundsechzig Schilling aus dem Schweinebauch.

Lollipop fuhr früher als sonst nach Hause. Weil er es einfach nicht aushielt, daß der Tommi dauernd das Lastauto in der Hand hielt und »mein Auto« sagte.

Lollipop ging zum gemischten Otto und erzählte ihm die ganze Sache. Natürlich erzählte er nicht: »Ich habe der Eveline soviel gekauft und dann habe ich . . .«

Lollipop erzählte: »Einer aus unserer Klasse hat der Eveline so viel gekauft und dann hat er . . .« So erzählte Lollipop dem gemischten Otto die ganze Sache!

Der gemischte Otto hörte zu und murmelte dabei: »Ja ja, die Weiber bringen einen um den ganzen Verstand!« Zum Schluß fragte Lollipop: »Und was soll nun der Bub mit den zweihundertfünfundsechzig Schillingen machen?«

Der Otto sagte: »Der Bub tritt vor seine Großmutter hin, gesteht ihr alles, überreicht ihr das Geld und bittet sie um Verzeihung!«

»Nein«, rief Lollipop, »ohne zu gestehen und ohne um Verzeihung zu bitten muß doch die Sache auch zu regeln sein!«

»Nun ja«, sprach der gemischte Otto, »wenn dein

Freund zuerst zu hohe Rechnungen hineingelegt hat, dann könnte er ja jetzt zu niedrige Rechnungen hineinlegen!«

»Die Idee der Saison, Otto«, rief Lollipop, und dann rannte er so schnell aus dem Laden, daß er gar nicht mehr hörte, wie ihm der gemischte Otto nachrief: »Halt, Lollipop, ich glaube, die Idee hat einen Haken.«

Am Abend fand die Großmutter einen Rechnungszettel in der Geldbörse, darauf stand 20 S, und daneben, vom Lollipop geschrieben: Schweinsschnitzel.

Die Großmutter betrachtete den Zettel, dann betrachtete sie die Schweinsschnitzel, die Lollipop am Nachmittag beim Fleischhauer Muster gekauft hatte.

»Nie im Leben«, rief die Großmutter, »kosten acht dicke Schnitzel zwanzig Schilling, die kosten garantiert dreimal soviel! Die Zeiten, wo die Schnitzel zwanzig Schilling gekostet haben, die sind längst vorüber!«

Die Großmutter sagte, der Herr Muster habe sich sicher verrechnet, morgen früh, sagte sie, werde sie gleich zum alten Muster gehen und den Irrtum aufklären. »Ich bin eine ehrliche Frau«, sagte sie, »ich betrüge die Leute doch nicht!«

Die Großmutter war von der Idee einfach nicht abzubringen. Doch damit noch nicht genug! Lollipop hatte für die Mutter auch eine Strumpfhose besorgt. Eine aus Schafwolle, weil es langsam kalt wurde. Hundert Schilling hatte die Wollstrumpfhose gekostet. Und Lollipop hatte nur fünfundzwanzig dafür berechnet. Vom gemischten Otto hatte er sich einen Aufkleber mitgenommen, darauf stand: S u p e r - S o n d e r a n g e - b o t ! Beim Otto hatte der Aufkleber auf dem Gervais-Käse geklebt. Nun klebte er auf der Strumpfhose, und die Mutter war begeistert.

»Das ist ja grandios, Lolli«, rief sie, »da bringst du mir gleich morgen noch vier solche Hosen mit, ja!«

Lollipop wurde noch blasser, als er es seit der Fleischrechnung schon war. So viel Geld zum Draufzahlen hatte er ja gar nicht mehr! Und wie er schon blaß wie ein altes Leintuch war, da kam noch die Schwester daher und schwor Stein und Bein und Ehrenwort, daß in dem Kaufhaus, wo Lollipop die Hose gekauft hatte, zur Zeit garantiert kein Sonderangebot in Strumpfhosen war. Und diese Strumpfhose, sagte sie, genau dieselbe Strumpfhose, die habe sie noch heute in der Früh für hundert Schilling in der Auslage liegen gesehen. Den Rechnungszettel vom Fleisch schaute die Schwester ebenfalls an, und da rief sie: »Der Muster hat doch eine Registrierkasse, die die Zahlen auf einen Streifen draufdruckt! Das ist keine Rechnung vom Muster! Das ist ein Zettel vom gemischten Otto!«

Jetzt war Lollipop schon so weiß im Gesicht wie frischgefallener Schnee im Gebirge, wo es ganz staubfrei ist.

»Lollipop, was soll das alles?« fragte die Mutter.

»Lollipop, erklär uns das!« sagte die Großmutter.

»Lollipop, so red doch schon!« rief die Schwester.

Doch Lollipop stand weiß und steif da und blieb ganz stumm.

»Lollipop, was soll das, erklär das, red schon«, riefen

die Mutter, die Schwester und die Großmutter im Chor und rüttelten auch an ihm. Da wankte Lollipop zu seinem Bett und sank ganz einfach hinein, ohne ein Wort. Die Mutter und die Großmutter und die Schwester waren hinter ihm hergelaufen, sie fragten weiter und bekamen keine Antwort.

»So sag doch wenigstens irgendwas!« rief die Mutter.

Da sagte Lollipop: »Ich brauche dringend einen Lollipop, einen grünen!«

Die Schwester rannte zum gemischten Otto hinunter. Weil schon Ladenschluß war, klingelte sie an der Hintertür. Bald darauf kam sie mit einem halben Dutzend grüner Lollipops zurück. Sie legte sie auf Lollipops Nachttisch.

»Jetzt sag aber was«, rief nun die Großmutter. Lollipop schüttelte bleich den Kopf. Die Großmutter und die Mutter setzten sich zu Lollipops Bett. Sie redeten ihm gut zu. Es nützte gar nichts. Da gingen sie dann schlafen.

Lollipop aber blieb lange auf und schleckte alle sechs Grünen dünn und durchsichtig. Bis zum frühen Morgen brauchte er, und wie er dann ganz erschöpft und schneeweiß im Bett hockte, immer noch stumm, da kam der Doktor. Die Großmutter hatte ihn angerufen.

»Mund auf, junger Mann«, sagte der Doktor und hielt die Nachttischlampe vor Lollipops Gesicht und schaute Lollipop in den Mund hinein. Der Doktor schaute Kindern immer zuerst in den Hals, wegen einer Angina oder einer ganz gewöhnlichen Halsentzündung. Lolli-

pops Hals – innen – war unheimlich grün. Sechs Lollipops färben enorm ab.

»Sonderbarer Belag«, murmelte der Doktor und schüttelte bedenklich den Kopf. »Sehr sonderbar!« Er verschrieb Lollipop eine Medizin zum Trinken und eine zum Lutschen und eine um-den-Hals-zu-wickeln; auf ein feuchtes Tuch aufgetropft.

Eine Woche lang blieb Lollipop im Bett. Die Großmutter ging in dieser Woche nicht zu den Hofstetters. Sie saß neben Lollipops Bett und strickte einen Pullover für Lollipop. Am ersten Tag der grünen Halskrankheit fragte sie ihn mindestens ein dutzend Mal: »Also, Liebling, Lolli, was ist nun mit den billigen Strumpfhosen und dem ganz billigen Fleisch?«

Lollipop aber redete immer noch nicht. Er hielt sich bloß einen Grünen vors linke Auge und einen vors rechte und starrte die Großmutter an. Doppelt hält besser, sagte er sich. Am zweiten Tag der grünen Halskrankheit fragte die Großmutter nur noch sechsmal nach dem Fleisch und der Strumpfhose, und am dritten Tag fragte sie ein einziges Mal. Am vierten Tag redete sie kein Wort davon. Zur Sicherheit starrte Lollipop noch zwei Tage lang unentwegt durch die Lollipops, und am siebenten Tag stieg er aus dem Bett und holte hundertfünfzig Schilling aus seiner Hosentasche und überreichte sie stumm der Großmutter.

»Wieso?«, fragte die Großmutter, »warum? Was soll ich –« doch weiter kam sie nicht, denn Lollipop hatte schon wieder einen Lollipop vor jedem Auge.

»Na ja«, sagte die Großmutter da, »ist ja schon gut.«
Und dann sagte sie noch: »Um das Geld werd' ich mir
einen Hut kaufen, einen grünen, den wollt' ich schon
lange.« Und dann sagte sie noch: »Und jetzt, verdammt
noch einmal, tu endlich die scheußlichen grünen Schlek-
ker von den Augen weg. Das ist ja nicht auszuhalten!«
Lollipop tat die Schlecker weg und redete wieder.
Ziemlich viel sogar. Er hatte eine Menge nachzuholen.
Er redete von der Schule und von den nächsten Ferien
und vom Schwimmbad. Auch vom Tommi und vom
Geflügelgeschäft. Und vom Drachensteigen. Und er
fragte nach den Hofstetters. Von Strumpfhosen und
Schweinsschnitzeln aber sprach er kein Wort.

Lollipop und Lehmann

Es gibt Leute, die mögen Hunde, und es gibt Leute, die
mögen Hunde nicht. Lollipop wußte nicht, zu welchen
von den zweierlei Leuten er gehörte, weil er vor den
Hunden Angst hatte. Und wenn einer vor etwas Angst
hat, dann kann er schlecht entscheiden, ob er das mag,
wovor er Angst hat. Manchmal dachte Lollipop: Wenn
ich vor den Biestern keine Angst hätte, würde ich sie
gern hinter den Ohren kraulen und ein bißchen am
Schwanz ziehen. Und manchmal dachte Lollipop: Auch
wenn ich vor den Biestern keine Angst hätte, würden sie
mir viel zu viel stinken und bellen und Haare lassen.

Lollipop hatte nicht nur vor großen, bellenden und kleinen, bissigen Hunden Angst. Auch vor stillen Hunden mit verträumten Augen und seidigem Fell und sanftem Wedelschweif hatte er Angst. Sogar vor dem zitternden Rehrattler der Hausmeisterin. Und dabei war der Rehrattler kaum größer als ein Meerschwein; bloß längere Beine hatte er.

Die Mutter und die Großmutter und die Schwester hatten keine Ahnung von Lollipops großer Hundeangst. Lollipop redete nie darüber, denn er hielt Kinder, die Angst vor Hunden haben, für blöde, weil die anderen Kinder Kinder, die Angst vor Hunden hatten, für blöde hielten. Lollipop ging da so weit, daß er seine Schwester auslachte, wenn sie erschrocken von einem bissigen Hund erzählte, dem sie begegnet war.

»Sie fürchtet sich vor Hunden! Sie spinnt ja!« rief Lollipop, und die Mutter sagte dann immer: »Lollipop, sei froh, daß du keine Angst hast und lach nicht so blöd!«

Lollipop grinste weiter und tat so, als hätte er tatsächlich keinen Schimmer und fragte die Schwester: »Sag einmal, was fühlt man denn da, wenn man vor Hunden Angst hat?«

»So Herzklopfen halt«, sagte die Schwester, »und im Hals würgt es mich. Und manchmal muß ich auch zu zittern anfangen.«

»Das ist aber komisch«, rief Lollipop und dachte: Der geht es ja noch gut, wenn sie nicht auch zu schwitzen anfängt!

Lollipop wagte sich an Hunden nur in einem weiten Bogen vorbei. Sogar wenn der Hund hinter einem hohen und festen Zaun bellte, ging Lollipop lieber vorsichtshalber auf die andere Straßenseite. Wenn beim Supermarket bei der Eingangstür am Hundehaken so eine Bestie angehängt war, dann ging Lollipop zum nächsten Supermarket mit hundefreier Eingangstür. Und die Schulfreunde, die einen Hund hatten, die besuchte Lollipop auf gar keinen Fall. Er stellte sich, wenn er von ihnen etwas wollte, lieber bei Wind und Regen und Schneetreiben vor dem Haus auf und pfiff den Radetzkymarsch, bis der Schulfreund zum Fenster hinausschaute.

Mußte Lollipop aber einmal unbedingt dicht an einem Hund vorbei, tat er das ausnahmslos mit einem Lollipop vor einem Auge. Da hielt er den Grünen fest umklammert und murmelte beschwörend: »Rühr dich ja nicht vom Fleck, hörst du!« Und die Hunde rührten sich nicht vom Fleck. Und rührten sie sich doch ein bißchen, so wedelten sie mit dem Schwanz.

Lollipops Großmutter war mit einer gewissen Frau Ehrenreich sehr befreundet. Zweimal oder auch dreimal in der Woche kam die Frau Ehrenreich zur Großmutter auf Besuch. Da sie Lollipop immer ein Sackerl mit Zuckerln oder einen Filzstift oder einen Malblock mitbrachte, freute sich Lollipop, wenn er hörte: »Heut' abend kommt die Ehrenreich!« Er machte der Frau Ehrenreich auch immer die Wohnungstür auf. Dann war er der erste, der sie begrüßte, und dann konnte er sich von den zwei Malbüchern oder den zwei Filzstiften – denn die Frau Ehrenreich brachte ja auch etwas für die Schwester – den schöneren Filzstift und das hübschere Malbuch aussuchen.

Als die Großmutter sagte: »Heut' abend kommt die Ehrenreich mit dem Lehmann«, glaubte Lollipop, der Lehmann sei der Freund der Frau Ehrenreich.

Daß sie einen Freund hatte, mit dem sie zusammenlebte, einen mit Schnurrbart und Glatze, einen, der sehr geizig war, das hatte die Frau Ehrenreich schon oft erzählt. Ludwig hieß der Mann, und er war so geizig, daß er der Frau Ehrenreich Vorwürfe machte, wenn sie zu viel Butter aufs Brot schmierte und zuviel Rum in den Tee tat. Lollipop freute sich auf den Lehmann mit Schnurrbart und Glatze und Geiz. Vor allem auf den Geiz freute er sich, denn die anderen Leute, die Lollipop kannte, waren alle nicht geizig.

Am Abend, zur üblichen Stunde, klingelte es an der Tür, und Lollipop lief aufmachen. Ob man dem Lehmann den Geiz ansieht, dachte Lollipop. Er riß die Tür auf und rief: »Guten Abend, allerseits!« und sprang vor Schreck einen Riesenschritt zurück. Draußen auf dem Gang, neben der Ehrenreich, stand ein Hund. Ein mittelgroßer, hundsbrauner Hund mit hängenden Ohren und einem Stummelschwanz.

»Servus, Lollipop!« sagte die Frau Ehrenreich heiter, und dann kam sie mit dem Hund Lehmann ins Vorzimmer herein, so als ob das ganz selbstverständlich sei, so als ob kein Mensch vor Hunden Angst hätte.

Lollipop sauste ins Klo und riegelte ab. Und er kam auch nicht heraus, als die Ehrenreich rief: »Lollipop, Schatz, ich habe Ausschneidebogen mitgebracht!«

Und er kam auch nicht heraus, als die Mutter rief: »Lollipop, wir essen jetzt!«

Und er kam nicht einmal heraus, als die Schwester rief: »Lollipop, ich muß dringendst!«

Lollipop kam erst aus dem Klo heraus, als er ganz sicher war, daß der Lehmann ins Wohnzimmer gelaufen war. Da machte er dann die Klotür vorsichtig auf, schlich ins Kinderzimmer und holte einen Reservelollipop aus der Nachttischlade. Der war schon dünngeschleckt und einsatzbereit. Lollipop wollte aus dem Kinderzimmer hinausgehen, doch da stand auf einmal der Lehmann in der Tür. Fast die ganze Türbreite war mit Lehmann besetzt. Der Lehmann ließ die Zunge aus dem Maul hängen und keuchte. Ob das vom Asthma kam oder ob er gierig nach Bubenfleisch lechzte, war nicht leicht zu entscheiden. Lollipops Herzschlag ging unregelmäßig, er begann zu schwitzen, es drückte im Hals. Doch drinnen im Wohnzimmer mußten sie jetzt gerade beim Himbeereis als Nachspeise angekommen sein. Und Himbeereis zerrinnt leicht. Und zerronnenes Himbeereis schmeckt überhaupt nicht gut. Also hob Lollipop zitternd den Lollipop ans Auge, starrte, machte einen Schritt zur Türschwelle hin; sein linker Fuß war jetzt dicht bei Lehmanns rechter Vorderpfote.

»Nicht rühren, du Bestie«, flüsterte Lollipop beschwörend, doch Lehmann sprang vor, und Lollipop taumelte

in sein Zimmer zurück. Ohne den Grünen. Bloß mit dem Stangerl vom Grünen in der Hand. Den Grünen hatte der Lehmann im Maul. Schaudernd hörte Lollipop, wie der Schlecker zwischen Lehmanns Zähnen zerknirschte und zerkrachte. Lollipop flüchtete auf seinen Schreibtischsessel und von dort auf den Schreibtisch und von dort auf den niederen Kasten. Er starrte zur Tür, zu Lehmann. Und Lehmann leckte sich das Maul, und dann legte er sich wieder in die Tür und atmete keuchend und tief und verdächtig. Später kam die Schwester zur Kinderzimmertür und sagte, wenn Lollipop nicht gleich käme, wäre das ganze schöne Eis beim Teufel. Sie streichelte Lehmann. Er gehörte nicht zur Sorte Hunde, vor denen sie Angst hatte.

»Ich will kein Eis«, sagte Lollipop.

»Kann ich es haben?« fragte die Schwester.

»Ja«, sagte Lollipop.

Die Schwester ging ins Wohnzimmer zurück. Lollipop hörte sie sagen: »Lollipop spinnt wieder einmal, er hockt oben auf dem Kasten, schaut blöd und sagt, er will kein Eis.«

Und dann hörte Lollipop die Schwester das Eis essen. Er hörte wie der Eislöffel am Eisglas kratzte. Richtig ins Herz schnitt ihm das Geräusch. Und wieder später hörte Lollipop Schüsse. Heute war im Fernsehen sein Lieblingskrimi. Der, wo der Mann mit dem Glasauge mitspielt. Da versuchte es Lollipop noch einmal. Er kletterte leise vom Kasten herunter über den Tisch und das Bett zum Nachtkästchen und holte seinen letzten

Reservelollipop. Obwohl der schon herrlich vorgeschleckt war, schleckte Lollipop noch ein bißchen nach, dann hielt er ihn ans rechte Auge, kniff das linke zu und näherte sich der Tür und Lehmann, und er war noch nicht einmal in der Zimmermitte, da sprang der Lehmann, machte einen Satz ins Zimmer hinein, und der Grüne war weg. Diesmal samt der Stange.

»Hilfe«, brüllte Lollipop, »Hilfe!«

Die Großmutter kam sofort gelaufen. Aber sie hatte ja von Lollipops Hundeangst keine Ahnung. Und der Lehmann war auch gar nicht mehr im Kinderzimmer. Der war sofort ins Vorzimmer hinaus, als Lollipop um Hilfe gebrüllt hatte. Der Lehmann konnte so schrille Schreie nicht ertragen.

Lollipop schluchzte ein bißchen an der Brust der Großmutter, und die Großmutter tröstete ihn sehr viel. Und dann erzählte er der Großmutter einen Schwindel. Vor dem Fenster, sagte er, sei ein furchtbares Gesicht gewesen. Ein richtiges Mördergesicht mit Stoppelbart und einer Knollennase, ganz plattgedrückt an der Fensterscheibe. Die Großmutter sagte, das komme ganz gewiß davon, weil Lollipop dauernd im Fernsehen so böse Sachen anschaue und weil er zu viele Comic-Strips lese. Um Lollipop zu beruhigen, machte sie aber dann das Fenster auf, schaute auf die Straße hinunter und nach rechts und nach links und sogar in den Himmel hinauf und beteuerte: »Weit und breit kein Mensch und schon gar kein Mörder!«

Und dann nahm sie Lollipop ins Wohnzimmer mit.

Der Lehmann lag jetzt bei der Wohnungstür und tat als schliefe er und wüßte von rein nichts. Die Schwester hatte das Eis aufgegessen, und der mit dem Glasauge hatte den Mordfall schon aufgeklärt. Lollipop tat sich sehr leid.

Die Frau Ehrenreich kam jetzt jedesmal mit Lehmann, weil sich nämlich der Ludwig, der Freund, von ihr getrennt hatte. Er war zu seiner uralten Mutter gezogen. Die Ehrenreich und der Ludwig hatten sich furchtbar gestritten; wegen dem Geiz vom Ludwig. Oder wegen der Verschwendungssucht der Frau Ehrenreich. Je nachdem, wie man die Sache ansah. Und der Ludwig hatte zum Abschied zur Frau Ehrenreich gesagt: »Bevor du deine Verschwendungssucht nicht bereust, komme ich nicht zurück! Darauf kannst du Gift nehmen!«
»Aber da kann er lange warten«, schluchzte die Frau Ehrenreich, »und wenn mir das Herz bricht! Ich nehme kein Gift und ich gebe nicht nach!«
Die Großmutter nickte dazu. Tee mit Rum und Brot mit viel Butter, meinte die Großmutter, sei nun wirklich keine Verschwendungssucht.
Der Lehmann jedenfalls, der früher immer beim geizigen Ludwig geblieben war, kam jetzt immer mit der Ehrenreich, denn er war ein Hund, der nicht allein zu Hause bleiben wollte. War er nur eine halbe Stunde allein, bellte er das ganze Haus zusammen und winselte schrecklich, wenn jemand an der Wohnungstür vorbeiging. So schrecklich, daß die Hausmeisterin schon ge-

droht hatte, den Tierschutzverein anzurufen. Außerdem war auch Lollipops Schwester ganz gierig darauf, den Lehmann zu sehen. Sie mochte ihn sehr. »So ein kluger Hund!« sagte sie zu Lollipop. »Wenn man ihn fragt, wieviel eins und eins ist, dann bellt er zweimal, und zwei und zwei kann er auch!«

Lollipop konnte nicht kontrollieren, ob der Lehmann tatsächlich fähig war, Rechnungen zu bellen, denn Lollipop blieb immer im Kinderzimmer, wenn die Ehrenreich zu Besuch kam. Sogar das Nachtmahl aß er dort. Er sagte, er wolle unbedingt lesen. An jedem Ehrenreich-Lehmann-Tag holte sich Lollipop aus der Bücherei mindestens drei Bücher. Die Großmutter freute sich darüber. Sie war ja gegen das Fernsehen und die Comics. Sie verbot der Schwester, Lollipop vom Lesen wegzulocken. »Lesen«, sagte sie, »lesen ist gut und richtig! Lesen macht gescheit und erweitert den Horizont!« Dabei las Lollipop gar nicht. Er tat bloß so, wenn die Großmutter das Nachtmahl brachte. War sie wieder aus dem Zimmer draußen, klappte Lollipop das Buch zu und starrte zur Zimmerdecke und gab sich merkwürdigen Träumen hin. Er stellte sich vor, daß er ein Zirkuskünstler sei und im Zirkus einen Hundedressurakt mit einem Dutzend wilder Wolfshunde vorführte. Er ließ die wilden Wolfshunde durch brennende Reifen springen und auf den Hinterbeinen Menuett tanzen. Die Leute klatschten wie wild, und Lollipop war der große Held. Doch dann bellte der Lehmann im Wohnzimmer drinnen – wahrscheinlich weil er die Wurzel aus sechzehn ausrechnete – und da wurde Lollipop wieder aus seinen gewaltigen Träumen gerissen.

Einmal, als Lollipop am Tag vorher wieder den Herrn mit dem Glasauge versäumt hatte, ging Lollipop zum gemischten Otto hinunter. Er hockte sich auf seinen Erdäpfelsack und schaute dem Otto beim Verkaufen zu. Dann, als gerade keine Kundschaft im Laden war und der Otto die Nudelpakete in die Regale schichtete, sagte Lollipop: »Sie wirken beim Lehmann nicht.«
»Schade«, sagte der Otto.
»Weil er sie auffrißt! Wenn er sie auffrißt, können sie ja nicht wirken.«
»Schweinerei«, murmelte der gemischte Otto. Er malte mit einem dicken Faserschreiber den Nudelpreis auf ein kleines Kärtchen. Der Faserschreiber machte Flekken und ließ zuviel farbigen Saft aus.
»Was soll ich denn nun machen?« fragte Lollipop.
Der gemischte Otto legte das verpatzte Kärtchen weg, schaute zu Lollipop, kratzte sich am Kopf und sagte: »Entschuldige, ich hab nicht richtig zugehört, ich war mit dem Preisschreiben beschäftigt. Bei wem wirkt das nicht?«
Lollipop gab keine Antwort. Die Sache war schwierig. Lollipop wußte nämlich nicht, ob der Otto über die Grünen Bescheid wußte. Einmal sah es ganz so aus, als hielte der Otto die grünen Lollipops für ganz normale Schlecker mit Waldmeistergeschmack. Und dann wieder sah es ganz so aus, als wüßte der Otto über die

Grünen genau Bescheid. Wenn er aber doch nicht Bescheid wußte – fand Lollipop – war es vielleicht besser, von der Lollipopwirkung nichts zu erwähnen. Bei so sonderbaren Sachen – fand Lollipop – sollte man besser nicht allzuviele Worte machen. Lollipop stieg vom Erdäpfelsack und verließ den Laden.

»He, Lollipop«, rief der Otto hinter ihm her.

Lollipop tat, als hörte er den Otto nicht. Lollipop ging in den Park. Er setzte sich auf eine Bank, weit weg vom Kinderspielplatz, weil er nachdenken wollte und weil ihn der Kinderlärm beim Nachdenken störte. Die Bank war neben den Schachspieltischen. An einem Schachspieltisch saßen zwei ziemlich alte Männer und spielten. Der eine sagte gerade zum anderen: »Schach!« Er redete nicht sehr laut. Lollipop störte es trotzdem beim Nachdenken. Er schaute den, der »Schach« gesagt hatte, vorwurfsvoll an. Der, der »Schach« gesagt hatte, war ein Mann mit Glatze und Schnurrbart. Und jetzt sagte er »Schachmatt«, und da war das Spiel anscheinend zu Ende.

»Na ja«, sagte der andere Mann und räumte die Figuren vom Feld und stellte sie wieder auf. »Na ja, Glück im Spiel, Pech in der Liebe!« Und der Mann mit Schnurrbart und Glatze seufzte tief.

»Wie kommst du denn ohne sie so zurecht?« fragte der andere Mann.

»Schlecht, sehr schlecht«, sagte der mit Glatze.

»Dann versöhn dich doch wieder mit ihr«, sagte der andere Mann.

»Nein, nie im Leben. Da kannst du Gift drauf nehmen! Bevor sie nicht einsieht, daß sie verschwenderisch ist, kommt eine Versöhnung nicht in Frage, absolut nicht! Und wenn mir das Herz bricht!«

»Vielleicht bist du wirklich ein bißchen zu geizig?« fragte der andere Mann.

»Ha, ich und geizig!« rief der mit Glatze und Schnurrbart. »Da kann ich nur ›ha‹ sagen! Die hättest du erleben müssen! Dem Lehmann hat sie Schweizer Schokolade zum Fressen gegeben und in den Tee hat sie sich Kubanischen Rum geschüttet und die feinste Butter hat sie auf das teuerste Brot zentimeterdick aufgeschmiert!«

»Dann sei froh, daß du sie los bist«, sagte der andere Mann.

»Sie geht mir aber ab«, sagte der mit Glatze und Schnurrbart. »Und der Lehmann fehlt mir noch viel mehr!«

Lollipop holte tief Luft. Jetzt oder nie, dachte er. So eine Gelegenheit kommt nie wieder, sagte er sich. Er stand auf, ging zum Schachspieltisch und fragte die beiden Männer, ob er zuschauen dürfe. Die beiden Männer nickten und fingen wieder zu spielen an. Lollipop schaute zu. Nach einer Weile seufzte er tief. Sehr tief. Mindestens zehnmal mußte er sehr tief seufzen, dann erst fragte ihn der Mann mit Glatze und Schnurrbart: »Was hast du denn?«

Lollipop seufzte noch einmal.

»Bist du traurig?« fragte der andere Mann.

»Ja«, sagte Lollipop.

»Warum?« fragte der mit Glatze und Schnurrbart.

»Weil meine liebe Tante so traurig ist!«

»Und warum ist die traurig?« fragte der andere Mann.

»Weil ihr Hund so traurig ist.«

»Und warum ist der Hund traurig?« fragte der mit Glatze und Schnurrbart.

»Weil der Herr ausgezogen ist, den sie beide so lieben!« Die beiden Männer schauten Lollipop ziemlich interessiert an, und Lollipop fuhr fort: »Die arme Tante und der arme Hund weinen den ganzen Tag. Der Hund winselt ja bloß, aber die arme Tante klagt und schluchzt, daß sie verschwenderisch ist und zuviel Butter aufs Brot getan hat und zuviel Rum in den Tee geschüttet hat und dem Hund zuviel Schokolade gegeben hat!«

Lollipop wischte sich über die Augen, so als ob Tränen dort wären. »Neun Kilo hat die arme Tante schon abgenommen. Sie trinkt nur mehr Tee ohne Rum und ohne Zucker und ißt nur mehr Brot mit Margarine, ganz dünn gestrichen.«

Der Mann mit Glatze und Schnurrbart war jetzt furchtbar aufgeregt. Er zitterte sogar ein bißchen. »Wie heißt denn deine liebe Tante?« fragte er.

»Tante Ehrenreich heißt die Tante«, sagte Lollipop und wischte wieder ein bißchen über die Augen. »Und der Hund heißt Lehmann.«

Da sprang der Mann mit Glatze und Schnurrbart auf. »Ich muß sofort zu ihr!« rief er.

Er rannte weg, so schnell er konnte. Beim Parkausgang

drehte er sich aber noch einmal um. Er blieb stehen. Er winkte Lollipop zu sich her. Er wartete ungeduldig, bis Lollipop bei ihm war, dann sprach er: »Du bist ein gutes Kind!« Und dann holte er sein Geldbörsel heraus und kramte darin herum und überreichte Lollipop schließlich ein Zehn-Groschen-Stück. »Für dein Sparschwein«, sagte er und »Verlier es nicht!« sagte er auch.

Am übernächsten Tag kam die Ehrenreich ohne Lehmann zur Großmutter. »Wir haben uns versöhnt«, sagte sie. »Er ist gekommen und war sehr nett. ›Du brauchst gar nichts sagen‹ hat er zu mir gesagt. ›Ich weiß schon, ich weiß schon‹, hat er zu mir gesagt!«
Lollipop saß im Wohnzimmer, im weichen Sessel, und grinste. »Schade, daß der Lehmann nun nicht mehr kommt«, sagte er zur Frau Ehrenreich. »Ich lese jetzt nämlich nicht mehr gar so gern. Und ich habe mir vorgenommen, dem Lehmann ein paar Kunststücke beizubringen. Wie im Zirkus. Menuett tanzen und durch Reifen springen.«
»Leider, Lolli, leider«, sagte die Frau Ehrenreich, »der Lehmann weicht nicht von Ludwigs Seite!«
Das Zehngroschenstück vom Ludwig hielt Lollipop in Ehren. Er legte es in eine winzig kleine Dose auf eine Lage Watte. Die Dose tat er in seine Nachttischlade. Die Schwester wunderte sich darüber. Oft holte sie die Dose heraus und schaute das Zehn-Groschen-Stück genau an. Sie konnte aber nichts Besonderes daran entdecken.

Lollipop und die rote Großmutter

Im Herbst kam Lollipop in die dritte Klasse, und es ging ihm recht gut. In der Schule hatte er keine Schwierigkeiten; im Rechnen war er sowieso einsame Spitze, und jetzt konnte er auch schon oft Sätze schreiben, in die die Frau Lehrerin keinen einzigen roten Strich hineinzumachen brauchte. Der Egon saß wieder neben Lollipop, und Lollipop vertrug sich sehr gut mit ihm. Lollipop vertrug sich in letzter Zeit überhaupt mit allen Leuten gut. Sogar mit seiner Schwester. Das Leben war so, daß Lollipop dauernd Lust hatte zu pfeifen. Und meistens pfiff er ja auch. Bloß während der Schulstunden und beim Essen ließ er es sein.

Der gemischte Otto meinte, Lollipop pfeife derart prächtig, daß eine spätere Laufbahn als Kunstpfeifer dringend anzuraten sei.

Übrigens war Lollipop über den Sommer um mindestens fünf Zentimeter gewachsen. Das machte ihn besonders stolz. Er gehörte nicht mehr zum unteren Drittel der Turnreihe, sondern war ins mittlere Drittel aufgerückt. Warum Lollipop lieber groß als klein sein wollte, ist nicht so leicht zu sagen. Vielleicht deshalb, weil die Schwester immer ganz schwärmerisch von einem »irrehübschen Großen« und ganz verächtlich von einem »miesen Kleinen« erzählte. Vielleicht auch, weil die Mutter immer kicherte, wenn sie das Ehepaar Schestak sah. Der Schestakmann war um einen Kopf

kleiner als die Schestakfrau. Vielleicht auch, weil Lollipop jetzt, wo er gewachsen war, dem Herbert beim Streiten mitten in die Augen schauen konnte. Früher hatte er beim Streiten immer zum Herbert hinaufschauen müssen. Das ist keine gute Streitposition. Ganz gewiß aber freute er sich deshalb, weil er, um fünf Zentimeter gewachsen, genauso groß wie eine gewisse Heidegunde Günsel war.

Die Heidegunde Günsel ging in die vierte Klasse, und Lollipop bewunderte sie sehr. Er war nicht so in sie verliebt wie seinerzeit in die Eveline mit den Parma-Veilchen-blauen Augen. Heidegunde hatte nur ganz gewöhnlich braune Augen und kurze, auch ganz gewöhnliche braune Haare. Und viel zu dünn war sie auch. Aber Heidegunde sagte bei den Schulfeiern immer die Gedichte auf. Wunderschön konnte sie das. Und im Rechnen war sie die Beste in der Klasse. Und im Turnen war sie genauso gut wie Lollipop. Ihr Dauerräderschlagen quer durch den Turnsaal wurde von allen Kindern so bewundert wie Lollipops Dauerhandstand im Schulhof.

Lollipop fand, daß er und Heidegunde die richtigen Partner für eine ordentliche Freundschaft seien. Noch dazu, wo er Heidegunde noch nie hatte kichern sehen. Und geweint hatte sie in Lollipops Gegenwart auch noch nie. Lollipop hatte nämlich etwas gegen weinende Kinder. Der gemischte Otto sagte zwar oft: »Lollipop, das ist ein übles Vorurteil! Der eine heult leicht, der andere schwer. Das hat doch nichts zu besagen!«

Solange Lollipop beim gemischten Otto auf dem Erdäpfelsack hockte, gab er dem gemischten Otto recht.
Doch war Lollipop in der Schule und heulte einer los,
weil ihm ein anderer einen Tintenfleck aufs Hemd gemacht hatte oder weil einer einen Fünfer auf die
Ansage bekommen hatte, und alle sagten voll Abscheu:
»So eine Heulboje!«, dann sagte Lollipop auch voll
Abscheu: »So eine Heulboje!«
Wenn Lollipop merkte, daß er selber gleich zu weinen
anfangen mußte, dann lachte er. Das Lachen half gegen
das Weinen, obwohl es ein sehr merkwürdiges Lachen
war. Ganz hoch und scheppernd. Und stiegen Lollipop
dann trotzdem die Tränen in die Augen, so konnte er
behaupten, das seien Lachtränen.
Lollipop war also nun genausogroß wie diese Heidegunde Günsel, und so ging er in der Zehner-Pause zu
ihr hin und fragte sie, ob sie heute nachmittag vielleicht
auch in den Park komme. »Vielleicht«, sagte Heidegunde Günsel. »Hoffentlich«, sagte Lollipop.
Heidegunde kam wirklich in den Park. Und sie verstand sich mit Lollipop gleich prächtig. Sie rechneten,
einfach zum Spaß. 97 mal 12 mal 8 dividiert durch 3
weniger 39 = . Und solche Sachen. Sie kletterten
auch auf die Fahnenstangen beim Parkeingang. Bis
ganz oben hinauf. Und hatten eine Menge Spaß dran,
wenn die alten Frauen auf den Bänken vor Schreck die
Luft anhielten und beratschlagten, ob man nicht doch
besser die Feuerwehr alarmieren sollte. Oder die Funk-
streife. Oder die Eltern dieser beiden Kletteraffen.

Von diesem Nachmittag an waren Heidegunde und Lollipop auch in den Pausen immer zusammen. Und auch da rechneten sie. Außerdem versuchte Heidegunde dem Lollipop das schöne und wunderbare Gedichtaufsagen beizubringen. Lollipop malte sich aus, daß er und Heidegunde zusammen bei der Weihnachtsfeier »Denkt euch, ich habe das Christkind gesehn . . .« aufsagen könnten. Immer er eine Zeile, sie eine Zeile. Denn im Chor, das hatten sie ausprobiert, hörte sich das Gedicht nicht gut an.

An den Nachmittagen waren Heidegunde und Lollipop im Park. Dann, als das Wetter nicht mehr so schön war, als es fast jeden Nachmittag regnete, waren sie bei Heidegunde zu Hause. Heidegunde wohnte in einem Haus mit einem großen Garten herum. Und Lollipop hatte noch nie so ein hübsches Haus von innen gesehen. Außer im Fernsehen, wenn es einen Film über reiche Leute gab. Lollipop war so gern bei Heidegunde, daß er die Schwester überredete, beim Tommi im Geflügelgeschäft anzurufen und zu sagen, Lollipop sei an chronischem Scharlach erkrankt und könne leider lange nicht kommen. So hatte er auch die Dienstage und die Freitage für Heidegunde frei.

Heidegunde hatte eine Mutter und einen Vater, eine große Schwester und einen kleinen Bruder und eine Großmutter und eine Tante Friederike. Die wohnten alle in dem hübschen Haus. Auch die mochten Lollipop, und Lollipop fand sie auch alle nett.

Einmal nun – wie Lollipop bei Heidegunde am rauchgläsernen Jausentisch saß und Schokoladeneis und Knusperwaffeln verspeiste – hörte er die Großmutter und die Mutter von Heidegunde und die Tante Friederike im Nebenzimmer reden. Sie redeten über eine Anna. Sie sagten – und alle drei waren sich da einig –, daß die Anna saudumm sei und schlampig. Und hinterhältig auch. Und geldgierig obendrein.

»Wer ist denn die Anna?« fragte Lollipop.

»Unsere Putzfrau«, sagte Heidegunde.

»Und die ist wirklich so?« fragte Lollipop.

»Alle Putzfrauen sind so«, sagte Heidegunde.

»Nein«, sagte Lollipop.

»Doch«, sagte Heidegunde, »das kannst du mir glauben. Wir haben alle paar Daumen lang eine neue, und die ist noch blöder als die alte. Frag nur meine Mama, die kann dir das bestätigen!«

Lollipop fragte die Mama von Heidegunde nicht. Aber die Mama fragte Lollipop, als sie die Eisgläser wegräumte: »Sag einmal, Lolli, deine Oma die geht doch noch arbeiten, was für einen Beruf hat sie denn eigentlich?«

Hätte die Mama Lollipop einen Tag früher gefragt, hätte er garantiert gesagt, daß seine Oma Putzfrau bei den Hofstetters ist. Hätte die Mama eine Woche später gefragt, hätte Lollipop wahrscheinlich schon wieder sagen können, daß seine Oma Putzfrau ist, doch jetzt, wo Heidegunde gerade über alle Putzfrauen geschimpft hatte, war es Lollipop ganz unmöglich.

Lollipop zögerte. Zuerst wollte er Raumpflegerin sagen. Dann Wirtschafterin. Dann Köchin. Schließlich kochte die Oma ja oft für die Hofstetters, und der Herr Hofstetter sagte ja immer, sie koche viel besser als seine Frau und das teuerste Restaurant der Gegend. Und auf das Hofstetterkind paßte die Oma ja auch auf. Und weil das Hofstetterkind gerade krank war, Grippe hatte es, sagte Lollipop schließlich: »Meine Oma ist Krankenschwester bei Kindern!«

Die Mama von Heidegunde meinte, das sei ein sehr schöner Frauenberuf. Da bewundere sie Lollipops Oma wirklich! Lollipop wollte schnell von etwas anderem reden, doch die Mama von Heidegunde war von der Krankenschwester-Oma ganz begeistert.

»In welchem Spital arbeitet sie denn?« fragte sie.

Lollipop war noch nie in einem Spital gewesen. Ihm fiel bloß der Name von einem einzigen Spital ein. »Im Wilhelminen-Spital«, sagte Lollipop.

»In der Infektionsabteilung?« fragte die Mama.

Lollipop hatte keinen Schimmer, welche Abteilungen es in einem Kinderkrankenhaus so gibt, also nickte er. Leider kannte sich die Mama im Wilhelminenspital gut aus. Und in der Infektionsabteilung noch besser. Der kleine Bruder von Heidegunde war über drei Monate auf der Infektionsabteilung gelegen. Er hatte einen unbekannten sonderbaren Virus gehabt. Die Mama von Heidegunde kannte alle Schwestern auf der Infektions-Station. Ob seine Oma vielleicht die kleine lustige weißhaarige Schwester sei. Die, die beim Scharfen-S-sagen immer mit der Zunge so ein bißchen an die

Zähne stieß? Oder vielleicht die große, strenge, stattliche Schwester Berta mit dem üppigen Busen und der tiefen Stimme? Die, vor der sich die kleinen Kinder ein bißchen fürchteten?

Lollipop war ratlos. Er schüttelte den Kopf. Da aber die meisten Krankenschwestern in der Kinder-Infektions-Abteilung sehr jung waren, blieb jetzt bloß eine Schwester übrig, die seine Oma sein konnte.

»Dann ist deine Oma ja die Oberschwester Erna!« rief die Mama begeistert, und Lollipop hatte plötzlich eine mittelgroße, mitteldicke Oma mit randloser Brille und enorm vielen geringelten rotgefärbten Haaren, die dauernd lachte und kleine Buben lieber mochte als große Mädchen.

Als Lollipop an diesem Nachmittag nach Hause ging, nahm er liebe Grüße an die Oma mit. Ausgerichtet hat er sie natürlich nicht, doch am nächsten Nachmittag richtete er Heidegundes Mama liebe Grüße von der Oma aus. Ob sich die Oma noch an ihren Sohn erinnern könne, fragte die Mama.

»Ja natürlich!« sagte Lollipop, und die Mama war sehr gerührt.

Jedesmal, wenn Lollipop nun zu Heidegunde kam, fragte ihn die Mama nach der Oma, und Lollipop blieb einfach nichts anderes übrig als von der rothaarigen Oma zu erzählen. Lollipop gewöhnte sich langsam an die Frau. Richtig lieb gewann er sie. Die Frau erlebte ja auch allerhand! Einmal rettete sie ein schlafwandelndes Kind, das mitten in der Nacht – tief im Schlafe – in einen anderen Spitalstrakt gegangen und auf ein offenes Fenster geklettert war, vor dem tödlichen Absturz. (Lollipop hatte einmal gehört, wie die Oma der Mutter etwas Ähnliches aus einer Zeitung vorgelesen hatte. Nur hatte da niemand das Kind gerettet.) Einmal erkannte sie als einzige im ganzen Spital, daß der kleine Kerl auf dem Operationstisch nur deshalb keine Luft bekam, weil er in jedem Nasenloch eine Glasperle stecken hatte. (Der gemischte Otto hatte Lollipop eine lange Geschichte von einer Erbse in einem Kindernasenloch erzählt.) Und einmal, als alle Kinder weinten, weil ein arges Gewitter war, und als sie nach ihren Müttern schrien, da kochte die rothaarige Oma von ihrem eigenen Geld in der Spitalsküche für alle Kinder Vanillepudding mit Himbeersaft. Und da hörten die Kinder zu weinen auf und lachten wieder. (Das hatte sich Lollipop ganz alleine ausgedacht.)

Natürlich gab es auch Schwierigkeiten mit der rothaarigen Oma Erna. Lollipop konnte sich ihren Dienstplan nicht merken. Daß sie Nachtdienst hatte, vergaß er oft. »Heute hat mir die Oma zum Frühstück –«, begann er, und die Mama von Heidegunde unterbrach ihn: »Wieso? Die hat doch jetzt ihre Nachtdienstwoche?«

Dann sagte Lollipop schnell: »Ich rede von meiner anderen Oma. Wenn meine Oma Nachtdienst hat, dann kommt die andere Oma zu uns und macht Frühstück!«

Da ja viele Kinder zwei Omas haben, wunderte sich niemand in der Familie Günsel darüber.

Auch mit dem »Buch der Rekorde« und der roten Oma Erna gab es Schwierigkeiten. Lollipop besaß ein Buch, das hieß »Buch der Rekorde«. In dem Buch war aufgeschrieben, wer es wann am längsten unter Wasser ausgehalten hatte, wer am längsten je Klavier gespielt hatte und wer die meisten Knödel essen kann. (Ein gewisser Wastel Muxerl aus Tirol / 47 Knödel aus rohen Erdäpfeln und schwarzem Mehl in Kinderfaustgröße.) Heidegunde wollte dieses Buch lesen.

Lollipop, den die Rekorde überhaupt nicht interessierten, sagte: »Du, ich schenk dir das Buch!«

Doch Lollipop war leider sehr vergeßlich. Jeden Morgen, wenn sie sich beim Schultor trafen, fragte Heidegunde: »Hast du mir mein Buch gebracht?«

Und jeden Nachmittag, wenn Lollipop zu ihr kam, fragte sie auch: »Hast du mir mein Buch gebracht?«

»Morgen bring ich es sicher. Ich mach mir einen Knopf ins Taschentuch«, versprach Lollipop immer, und am nächsten Morgen hatte er es wieder nicht, und am nächsten Nachmittag auch nicht. Bis Heidegunde eines Tages die Geduld riß. Nach der Schule sagte sie: »Lollipop, du vergißt das Buch dauernd. Ich geh jetzt mit dir und hol mir das Buch!«

Lollipop war das nicht angenehm. Weil seine Wohnung viel, viel weniger hübsch war als das Haus von Heidegunde. Doch er konnte ja nicht sagen: »Du darfst nicht mitkommen!« Also sagte er: »Heidegunde, gehn wir lieber noch ein bißchen in den Park. Ich bring das Buch wirklich morgen!«

»Quatsch keine Opern«, sagte Heidegunde, »du bist vergeßlich, du bringst es nie!«

Also sagte er: »Ich hab meine Wohnungsschlüssel vergessen, ich kann nicht in die Wohnung hinein!«

»Da sieht man ja, wie vergeßlich du bist«, sagte Heidegunde, »gerade hast du die Schlüssel in die Jackentasche gesteckt!«

Heidegunde ging stur neben Lollipop her. Gott sei Dank ist die Oma wenigstens bei den Hofstetters, dachte Lollipop. Und dann redete er bis zum Haustor davon, daß seine Mutter demnächst neue Möbel anschaffen wird, und der Installateur wird kommen und das Bad frisch verkacheln. Und die Türen und die Fenster seien schon zum Streichen beim Anstreicher in Auftrag gegeben. Sogar im Stiegenhaus noch und vor der Wohnungstür dann, sprach Lollipop unentwegt und wie ein Wasserfall so schnell, daß seine Wohnung demnächst, übermorgen wahrscheinlich schon, viel, viel hübscher sein werde. Wenn sie nicht sowieso in ein neues Haus ziehen. In eines mit Garten herum. In so eines wie es Heidegunde habe!

Lollipop sperrte die Wohnungstür auf und führte Heidegunde ins Vorzimmer und erklärte, daß morgen ein Mann kommen wird. Der wird die alte Plastikvorzimmerwand gegen eine aus Palisander mit Schmiedeeisen umtauschen.

»Ich hab gar nicht gewußt, daß du dich für Möbel interessierst«, staunte Heidegunde. Ihr waren Möbel nämlich total gleichgültig. Sie wußte nicht einmal wie

Palisanderholz aussah, obwohl ihr halbes Haus voll Palisander war. Gerade wie Lollipop mit Heidegunde ins Kinderzimmer gehen wollte, kam die Großmutter aus der Küche. »Tag Lollipop«, sagte die Großmutter. »Mir war heut gar nicht gut. Das muß vom Kreislauf kommen. Da bin ich früher nach Hause gegangen.« Lollipop wurde ganz steif.

»Aber jetzt geht es mir schon wieder besser«, sagte die Oma. Sie schaute Heidegunde an. Lollipop merkte, daß die Oma darauf wartete zu erfahren, wer das braunhaarige, dünne Mädchen sei. Er merkte auch, daß Heidegunde darauf wartete zu erfahren, wer die Frau mit den Kreislaufbeschwerden sei. Nicht nur Lollipops Arme und Beine waren steif. Bis ins Hirn hinein war Lollipop steif. Dabei wäre es ja ziemlich einfach gewesen. Er hätte ruhig sagen können: »Oma, das ist die Heidegunde!« Und: »Heidegunde, das ist die Oma!« Heidegunde glaubte ja, Lollipop habe zwei Omas. Doch Lollipops steifem Hirn fiel das nicht ein. Lollipops steifem Hirn fiel ganz etwas anderes ein. Er sagte: »Guten Tag, Frau Leitgeb!«

(Die Frau Leitgeb war eine junge Frau, die zwei Wohnungen weiter wohnte. Wie Lollipop zur Wohnungstür gegangen war, hatte er die Frau Leitgeb beim Gangfenster ein Staubtuch ausbeuteln gesehen.)

Die Großmutter hielt das für einen Spaß. »Guten Tag, Herr Bierbaum«, sagte sie deshalb.

(Der Herr Bierbaum wohnte auch im Haus. Einen Stock höher als Lollipop.)

Und zu Heidegunde sagte sie: »Und sie sind die Frau Bierbaum, wenn ich nicht irre!«

Heidegunde starrte die Oma erschrocken an, doch bevor sie noch irgendwas sagen konnte, zog Lollipop sie ins Kinderzimmer. Er riß das Buch der Rekorde vom Bücherregal, drückte es Heidegunde in die Hand, schob Heidegunde samt Buch aus dem Kinderzimmer, durchs Vorzimmer zur Wohnungstür und sagte: »Dann Servus!«

Die Großmutter war schon wieder in der Küche.

»Bleibt die Frau Bierbaum zum Mittagessen da?« rief sie aus der Küche. »Es gibt Powidltatschkerln*!«

»Nein, nein, Frau Leitgeb, die Frau Bierbaum muß sofort wieder weggehen«, rief Lollipop und machte die Wohnungstür auf. Er drängte Heidegunde hinaus.

Heidegunde stemmte sich gegen Lollipop. »Powidltatschkerln«, sagte sie, »hab ich schrecklich gern. Bei uns zu Hause gibt es sie nie. Wenn ich die Mama anrufe und ihr sage, daß ich bei dir essen will –«

Weiter kam Heidegunde nicht, denn da hatte sie Lollipop bereits bis zur Treppe gedrängt. Er zog sie die Treppe hinunter, und dabei flüsterte er beschwörend: »Du kannst wirklich nicht hier bleiben. Die Frau Leitgeb, die ist eine komische Frau. Sie ist ein bißchen verrückt!«

Heidegunde fand auch, daß die Frau Leitgeb nicht ganz richtig im Kopf war. Sonst hätte sie ja nicht »Frau Bierbaum« zu ihr gesagt. Trotzdem wollte Heidegunde

* Powidltatschkerln = Pflaumenknödel

in Lollipops Wohnung zurück. Weil sie ein großes Interesse an Frauen, die nicht richtig im Kopf sind, und an Powidltatschkerln hatte. Außerdem wollte sie natürlich auch wissen, wieso eine Frau, die nicht ganz richtig im Kopf war, in Lollipops Küche stand und Powidltatschkerln kochte. Lollipop erzählte Heidegunde, daß die Frau Leitgeb bei ihnen Putzfrau sei und daß ihre Powidltatschkerln ganz jämmerlich schmeckten – überhaupt nicht wie Powidltatschkerln, sondern wie Schuhsohlen – und sie sei richtig gefährlich. Manchmal finge sie laut zu kreischen an und manchmal tobe sie. Jedenfalls habe ihm seine Mutter und seine Großmutter streng verboten, Kinder mit nach Hause zu nehmen, wenn die Putzfrau Leitgeb in der Wohnung sei. Heidegunde seufzte, sagte: »Na, dann tschüß« und ging heim. Die Sache kam ihr komisch vor.

Lollipop seufzte auch, sagte auch: »Na, dann tschüß« und stieg die Treppen wieder hinauf. Das ist ja noch einmal gut gegangen, dachte er erleichtert.

Eine Zeitlang ging auch alles gut weiter. Doch dann war ein Nachmittag, da regnete es fürchterlich. Lollipop war bei Heidegunde, sie lernten zusammen ein Gedicht auswendig. Da klingelte das Telefon, und die Mama von Heidegunde ging hin und sagte ein paarmal »ja, ja, ja«, und dann fragte sie Lollipop, ob er seinen Regenmantel mithabe. Die Oma sei nämlich am Telefon und sie sei in Sorge, daß sich Lollipop beim Heimweg erkälten könnte. Lollipop hatte seinen Regenmantel mit.

»Er hat einen Regenmantel mit, liebe Schwester«, sagte die Mama ins Telefon. Und dann, Lollipop war's, als träfe ihn der Schlag, sagte die Mama ins Telefon: »Übrigens, liebe Schwester, wir alle hätten Sie gern einmal privat kennengelernt. Es ist doch wirklich schön, daß gerade Lollipop Sie zur Oma hat, liebe Schwester!«

Lollipop fand, nun müsse er augenblicklich etwas unternehmen. Es war ja gar nicht auszudenken, wie das weitergehen sollte, wenn das Telefongespräch weiterging! Lollipop versuchte sein Keuchhustenhusten. Das, wo seine Familie immer so entsetzt schaute und Wasser holte, Trost zusprach und alles andere vergaß. Lollipop hustete noch besser als sonst, doch die Mama von Heidegunde vergaß leider nicht alles andere, sie rief bloß: »Heidegunde, klopf ihm auf den Rücken!« und dann redete sie weiter mit Lollipops Oma.

Heidegunde klopfte auf Lollipops Rücken herum, sie lachte, weil ihr das Gehuste so komisch vorkam, und das Husten, das Rückenklopfen und das Lachen zusammen waren derart laut, daß Lollipop nicht mehr verstehen konnte, was beim Telefon geredet wurde. Und dann mußte er plötzlich echt husten, irgendwie hatte er sich beim falschen Husten verschluckt. Die Tränen kugelten ihm schon über die Wangen. Das fand Heidegunde nicht mehr komisch.

Sie rief: »Mama, komm sofort, er erstickt!«

Die Mama kam und brachte ein Glas Wasser. Lollipop trank, und der echte Hustenreiz hörte auf. Lollipop schielte ins Nebenzimmer zum Telefon und sah, daß der Hörer aufgelegt war.

»Ich muß jetzt nach Hause gehen«, sagte Lollipop.

Heidegunde wollte ihn nicht fortlassen. »Sonst bleibst du auch immer länger«, rief sie.

Lollipop sagte, er müsse noch einen Aufsatz schreiben und alles über die Tannennadeln lernen und über die Fichtennadeln auch.

»Morgen kommt er ja wieder«, tröstete die Mama ihre Heidegunde, »und da bringt er seine Oma mit! Das haben wir am Telefon ausgemacht!«

Lollipop schlüpfte in den Regenmantel und lief weg.

Lollipop marschierte durch den dichten, windigen Regen nach Hause und sah klar, daß seine Lage so beschissen war wie noch nie. Am liebsten wäre er geradewegs nach Australien ausgewandert, in die australische Wüste, dorthin, wo es weder rote noch echte Großmütter gab; nur Sonne und Sand und vielleicht Känguruhs.

Aber es gab ja noch die Lollipops! Ein Lollipop jedenfalls war das einzige, was überhaupt noch helfen konnte. Allerdings war Lollipops Vertrauen in die Lollipops seit der Sache mit dem Hund Lehmann arg erschüttert. Seither hatte Lollipop auch nie mehr einen Grünen benutzt.

Lollipop ging zum gemischten Otto in den Laden. Er zog den Regenmantel aus und setzte sich auf den Erdäpfelsack. Eine dicke Frau war im Geschäft. Die kaufte Waschpulver. Lollipop holte sich einen Grünen aus der

Schachtel. Die Dicke bezahlte ihr Waschpulver. Lollipop wickelte den Grünen aus dem Einwickelpapier. Die
Dicke lehnte sich an das Pult und erzählte dem Otto
von den Masern ihrer Enkelkinder. Lollipop schleckte
am Grünen. Die Dicke redete von den Masern ihrer
Tochter. Lollipops Lollipop war schon ziemlich durchsichtig. Die Dicke redete von ihren eigenen Masern, die
sie vor sechzig Jahren gehabt hatte. Masern so arg, daß
der Doktor gesagt hatte, da helfe nur mehr beten. Lollipop hob den Lollipop ans Auge, schaute auf die Dicke
und dachte: »Nun mach aber, daß du langsam hier
rauskommst!«
Die Dicke stellte den Waschpulverkarton in die Ein-
kaufstasche und sagte: »Nun mach ich aber, daß ich
schön langsam hier raus komm!«
Sie grüßte und ging aus dem Geschäft.
Lollipop drehte sich zum gemischten Otto, betrachtete
ihn durch den Grünen und dachte: Und dir könnte
eigentlich auch auffallen, daß ich enorme Schwierigkeiten habe! Der gemischte Otto schaute Lollipop an:
»Hast du was? Schwierigkeiten oder so?«
Lollipop ließ den Grünen sinken und nickte. Erstens
zum Otto hin wegen der Schwierigkeiten und zweitens
dem Grünen zu, und das hieß soviel wie: Also, du bist
in Ordnung!
»Willst du mir nicht deine Schwierigkeiten mitteilen?«
fragte der gemischte Otto.
»Ich bring's schon allein hin!« erklärte Lollipop, stieg
vom Erdäpfelsack, nahm seinen Regenmantel und ging

nach Hause. Den Grünen hielt er kerzengerade in der Hand. Die Großmutter hörte Lollipop über die Treppe kommen und hielt schon die Wohnungstür für ihn auf. Sie fing gleich an: »Sag mal, Lollipop, was ist denn das für eine, diese Mama von der Heidegunde? Wieso ist es ein Glück, daß ich deine Oma bin? Und wieso sagt die dauernd ›Schwester‹ zu mir? Das ist doch komisch!«

Lollipops Schwester stand hinter der Oma und meinte: »Vielleicht ist sie bei so einer religiösen Sekte. Die haben manchmal solche Sitten!«

»Ja, ja, wir sind alle Brüder und Schwestern, sagen die immer!« rief die Mama aus der Küche.

Lollipop hielt seinen Lollipop fest umklammert und dachte nach. Er war sich nämlich nicht klar, was der Grüne eigentlich nun bewirken sollte. Die Großmutter vom Besuch abhalten? Lollipop schaute probeweise durch den Lollipop auf die Großmutter.

»Wenn die von so einer komischen Sekte ist, dann geh ich lieber nicht hin«, sagte die Großmutter, »solche Leute wollen einen immer bekehren!«

»Die wird dich aber anrufen, wenn du nicht kommst!« rief die Mutter aus der Küche.

Lollipop schaute seine Schwester an. Durch den Lollipop natürlich.

»Dann sag ich am Telefon, daß du hast verreisen müssen«, sagte die Schwester.

»Und wenn sie nächste Woche anruft?« rief die Mutter aus der Küche. »Oder übernächste Woche?«

Lollipop ließ den Lollipop sinken. Er sah ein, daß der

Lollipop zwar tadellos wirkte, daß ihm das aber auch nicht nutzte. Er konnte ja nicht ein Jahr lang mit einem Lollipop vor dem Auge dahinrennen. Er konnte sich ja keine Lollipop-Brille bauen. Oder ein Lollipop-Monokel. »Ich muß noch einmal weggehen«, sagte Lollipop. »Warum?« fragten die Großmutter und die Mutter und die Schwester.

»Ich muß einfach«, sagte Lollipop, und dann ging er. Den Grünen übrigens ließ er auf dem Vorzimmer-Schuhkastel liegen.

Lollipop ging durch den dichten, windigen Regen zurück zu Heidegundes Haus. Er klingelte ziemlich lang an der Gartentür, bis ihm die Tante Friederike aufmachte. »Hast du was vergessen?« fragte die Tante.

»Ja«, sagte Lollipop.

»Lollipop ist noch einmal da und hat was vergessen«, rief die Tante als sie mit Lollipop ins Haus kam. Im Wohnzimmer war die ganze Familie von Heidegunde.

»Was hast du denn vergessen?« fragte Heidegunde erstaunt. Lollipop hatte ja bloß seinen Regenmantel und sein Gedichte-Buch mitgehabt. Und beides hatte er wieder mitgenommen. Von Lollipops Regenmantel tropfte Regenwasser auf den hellgrauen Teppichboden. Lollipop schaute auf die Wassertropfen, die den Teppichboden dunkelgrau tupften, er sagte: »Ich habe vergessen zu sagen, daß ich keine rothaarige Schwester Erna zur Großmutter habe.« So schwer war Lollipop noch nie im Leben ein Satz gefallen, und deshalb fiel der Satz auch recht leise aus. Keiner verstand ihn.

»Was hast du gesagt?« fragte die Mama von Heidegunde.

»Ich habe keine rothaarige Schwester Erna zur Großmutter!« wiederholte Lollipop. Beim zweiten Mal ging es schon leichter und ein bißchen lauter. Bis auf die Großmutter, die ein wenig schwerhörig war, verstanden ihn alle, aber sie begriffen ihn nicht. Sie kannten doch die Schwester Erna: vom Spital, von Lollipops Erzählungen und sogar vom Telefon! Also lachten sie alle.

Lollipop mußte den Satz noch einmal wiederholen. »Ich habe wirklich keine rothaarige Schwester Erna zur Großmutter!« Jetzt konnte er es schon laut sagen. Die Großmutter verstand es auch und lachte auch.

»Und wer kommt morgen zu uns auf Besuch, wenn du keine Großmutter hast?« kicherte Heidegunde.

»Ich habe eine Großmutter«, rief Lollipop und dann lachte er sein hohes, schepperndes Tränenlachen. »Aber sie ist keine Krankenschwester und kommt morgen nicht zu Besuch, weil ihr alle sagt, daß Putzfrauen saudumm und geldgierig und hinterhältig sind!«

Lollipop drehte sich ganz schnell um und marschierte aus dem Wohnzimmer und aus dem Haus, in den Regen hinaus. Er meinte, genug erklärt zu haben. Doch gerade, als er bei der Gartentür war, kam ihm Heidegunde nach. Ohne Regenmantel. Überhaupt ohne Mantel.

»Lollipop, ich versteh kein Wort«, rief sie. »Was soll das alles heißen?«

Lollipop ging die Straße hinunter, Heidegunde lief im Regen neben ihm her. Sie war schon ganz naß. Lollipop lief immer schneller, und Heidegunde keuchte an seiner Seite und schwor ihm, nicht zu weichen – selbst auf die Gefahr hin, sich eine doppelte Lungenentzündung zu holen –, bevor ihr Lollipop nicht die Sache mit der Großmutter erklärt habe. Lollipop erklärte nichts.

Sie kamen bis vor Lollipops Haus. Der gemischte Otto zog gerade den Rollbalken vor dem Schaufenster herunter. Er redete auch von doppelter Lungenentzündung, als er Heidegunde ohne Mantel im Regen sah.

»Ich komme mit dir hinauf«, sagte Heidegunde zu Lollipop.

»Nein«, rief Lollipop, »ich will nicht! Ich will dich überhaupt nicht mehr!«

»Du bist übergeschnappt, du Hornochse«, schrie Heidegunde. Sie klapperte vor Nässe und Kälte mit den Zähnen.

»Streitet euch besser bei mir im Laden drinnen«, schlug der Otto vor. »Da ist es wärmer und trockener!«

Lollipop ging nicht in den Laden hinein. Er blieb bei der Tür stehen. Heidegunde aber ging zum Otto ins Geschäft. Sie stellte sich vor den Ölofen und wärmte sich. Der Otto brachte ihr ein Handtuch, mit dem ribbelte sie ihre Haare ab. Sie war fuchsteufelswild. Zum Otto sagte sie: »Er ist komplett übergeschnappt.« Sie zeigte auf Lollipop. »Ich habe ihm nichts getan, und er sagt, er will mich nicht mehr. Das gibt es doch nicht. Und vorher hat er gesagt, er hat keine Großmutter. Da-

bei kennen wir alle seine Großmutter. Aus dem Spital!«
»Wieso aus dem Spital?« fragte der gemischte Otto.

»Weil unser Burschi, mein Bruder, im Spital war. Er hat einen Virus gehabt, und da hat ihn die Schwester Erna gepflegt!«

»Wer ist die Schwester Erna?« fragte der gemischte Otto.

»Die Schwester Erna ist die Großmutter vom Lollipop«, erklärte Heidegunde dem Otto. Sie hatte ja keine Ahnung, daß der gemischte Otto die Oma seit über vierzig Jahren kannte.

Der gemischte Otto schaute zuerst die Heidegunde erstaunt an, dann schaute er aus der Ladentür, und da ging, auf der anderen Straßenseite, die Oma von Lollipop. Sie trug einen Brotlaib und ein Sackerl mit Semmeln. Sie war noch rasch – vor dem Zusperren – beim Bäcker gewesen. Schirm hatte sie keinen mit. Der Regen tropfte von ihrem Kopftuch, und die Oma lief so schnell, wie sie mit ihren geschwollenen Füßen nur konnte. Lollipop sah zur Oma hinüber, und die Oma tat ihm leid.

Heidegunde schaute auch zur Oma hinüber. Sie schüttelte den Kopf. »Das ist doch die alte Frau, die nicht ganz richtig im Kopf ist«, rief sie. »Die, die manchmal kreischt und zu toben beginnt. Die, die Powidltatschkerl macht, die nach Schuhsohlen schmecken.«

Da kam Lollipop zum Otto ins Geschäft hinein. Er ging zum Ölofen hin, zu Heidegunde und sagte: »Die alte Frau ist ganz richtig im Kopf. Und sie tobt nie und sie kreischt nie. Ihre Powidltatschkerln sind Spitze, und sie ist meine Oma. Meine einzige Oma!«

Und hinterher erklärte er Heidegunde die ganze Angelegenheit. Mindestens sechsmal wurde er dabei vom gemischten Otto unterbrochen, der »O du mein liebes Rindvieh« rief.

Als Lollipop die ganze Angelegenheit fertig erklärt hatte, sagte Heidegunde zuerst gar nichts. Dann seufzte sie, und dann sagte sie: »Das tut mir leid, Lollipop! So habe ich das nicht gemeint. Deine Oma ist sicher eine Ausnahme!«

»Ich pfeif auf deine Ausnahmen«, rief Lollipop.

Heidegunde sagte wieder eine Zeitlang gar nichts, dann seufzte sie wieder, und dann sagte sie: »Das tut mir leid, Lollipop. Ich glaube, ich habe mich überhaupt geirrt. Nicht nur bei deiner Oma. Bei Putzfrauen überhaupt!«

Da lächelte Lollipop. Und weil Lollipop lächelte, lächelte Heidegunde auch.

»Und was ist jetzt?« fragte der gemischte Otto.

»Wie jetzt? Was jetzt?« fragten Heidegunde und Lollipop.

»Na morgen? Geht jetzt die Oma zur Heidegunde?«

»Nein«, rief Lollipop.

»Doch«, sagte Heidegunde.

Die Oma ging wirklich am nächsten Tag mit Lollipop zu Heidegundes Familie auf einen Nachmittagskaffee. Als sie zurückkam, erzählte sie der Mutter, daß sie Erdbeerkuchen und Kaffee mit Schlagobers gegessen hatte, daß Heidegundes Mutter eine passable Person sei, nicht ganz ihr Geschmack zwar, aber immerhin auszuhalten.

»Und das mit der religiösen Sekte«, sagte sie zum Schluß, »das muß ein Irrtum gewesen sein. Sie hat nämlich kein einziges Mal mehr Schwester zu mir gesagt. Sie hat mich nur gefragt, ob ich nicht bei ihr putzen möchte. Sie würde mir noch mehr zahlen, als die Hofstetters. Aber ich bin bei den Hofstetters zufrieden, ich wechsle nicht!«

Lollipops Lollipops-Fest

In Lollipops Leben gab es eine große Ungerechtigkeit. Lollipop hatte am 25. Dezember Geburtstag, und das heißt, Lollipop hatte noch nie Geburtstag gefeiert, denn eine große Torte gab es am Christtag sowieso, und Geschenke hatte es gestern gegeben, und daß die Mutter am Morgen »Herzlichen Glückwunsch, mein Sohn« sagte, kann man ja nicht feiern nennen. Lollipop ärgerte das. Immer wieder schimpfte er: »Ich will auch einmal wenigstens einen richtigen Geburtstag haben, mit allem drum und dran und allem, was zu einem Geburtstag gehört!«

Zu einem Geburtstag gehörte für Lollipop vor allem eine Geburtstagsparty mit vielen Kindern. Heidegunde hatte so eine Party gegeben. Fünfundzwanzig Kinder hatte sie eingeladen. Im Wohn-Salon hatte sie Lampions aufgehängt und Girlanden und Faschingsschlangen. Im Speisezimmer war ein Tisch mit Sandwiches und Kuchen und Torten und Cola und Apfelsaft gewesen. Beatles-Musik hatte es gegeben, und Heidegundes Schwester und die Tante Friederike hatten mit den Kindern Spiele gemacht: Sackhüpfen und Eierlaufen und Polnisch-Beichten. Es hatte erste und zweite und dritte Preise gegeben.

Von so einer Geburtstagsfeier – an seinem Geburtstag – träumte Lollipop. Wenn er am Abend im Bett lag und nicht einschlafen konnte, stellte er sich das ganz genau vor. Er hatte alles schon eingeteilt und ausgemalt. Im Vorzimmer die Girlanden, im Wohnzimmer den Tisch mit dem Essen und den Getränken und im Kinderzimmer den Tanzsaal und in dem Zimmer, wo die Mutter und die Großmutter schliefen, den Raum für die Spiele.

Einmal, als die Schwester auch nicht einschlafen konnte, erzählte ihr Lollipop von den Träumen, die er sich so ausmalte.

»Mensch, Lolli«, sagte die Schwester, die oben im Stockbett lag, »Mensch, Lolli, unsere Kammer da ist doch kein Tanzsaal. Die ist zwei Meter breit und zwei Meter und fünfundachtzig Zentimeter lang!«

Vom Zimmer der Mutter und der Großmutter meinte die Schwester, daß es auch viel zu klein für Spiele sei.

»Dort kann man höchstens Ruhig-auf-einem-Bein-stehen spielen«, sagte die Schwester.

Es stimmte schon! Das Wohnzimmer war winzig. Die

Kammer der Mutter und der Großmutter war noch winziger, und die Kammer von Lollipop und der Schwester war nicht viel größer als eine Besenkammer in einem vornehmen Haus. Lollipop hatte – was ja bei Träumen erlaubt ist – die Wohnung etwas größer gemacht. Und deshalb wollte er auch gar nicht hören, was die Schwester sagte. Es störte ihn beim Träumen. Lollipop zog sich die Decke über die Ohren und träumte weiter von seiner Geburtstagsparty. Diesmal zog er das Kinderzimmer-Kammerl derart in die Länge, daß es ein riesengroßer Tanzsaal wurde. Und die Kammer der Mutter und der Großmutter dehnte er so breit aus, daß man dort sogar Nachlaufen spielen konnte.

Dem gemischten Otto erzählte Lollipop auch hin und wieder von der Geburtstagsungerechtigkeit und von der Sehnsucht nach der Geburtstagsparty. Und da sagte der gemischte Otto eines Tages: »Lollipop, du wirst auch langsam alt und phantasielos. Das ist doch eine Kleinigkeit. Einer, der schon seinen Namen geändert hat, der wird doch auch seinen Geburtstag ändern können. Wie wär's denn mit dem 1. April, Lollipop? Der 1. April ist ein schönes Datum. Und in einer Woche ist 1. April. Wenn du den 1. April zum Geburtstag nimmst, kannst du in einer Woche eine Party geben.«

Lollipop lief in die Wohnung hinauf und teilte der Mutter und der Großmutter mit, daß er seinen ungerechten Geburtstag auf den 1. April verlegt habe. Die Mutter jammerte ein bißchen.

»Muß das sein, Lolli?« fragte sie, »diesen Monat bin

ich mit Geld sowieso knapp dran, da kann ich mir einen Geburtstag kaum leisten.«

Lollipop erklärte, es müsse schon sein. Und er brauche auch gar keine Geschenke. Keinen Rekorder, kein Fahrrad, keine elektrische Eisenbahn, keinen Lederlumberjack. Nur eine Geburtstagsparty.

Die Großmutter meinte, Lollipop sei wirklich ganz bescheiden. Sie sei auch seiner Ansicht, daß der ungerechte Geburtstag verändert werden müsse. Und wenn's nach ihr ginge, dann könne er zum 1. April von ihr einen Rekorder haben, oder einen Lederlumberjack. Oder ein Fahrrad. Sie sei mit Geld nicht so knapp dran, diesen Monat. Bloß die Geburtstagsparty, sagte sie, die müsse er sich aus dem Kopf schlagen. Für eine Party sei die Wohnung zu klein. Sogar für eine elektrische Eisenbahn sei die Wohnung zu klein.

»Drei Kinder, wenn's hoch kommt«, sagte die Großmutter, »kannst du einladen!«

»Vielleicht könnten wir auch vier oder fünf unterbringen«, meinte die Mutter.

»Oder sechs, wenn sie dünn sind«, sagte die Schwester.

»Fünfundzwanzig oder gar nicht!« beharrte Lollipop.

»Dann gar nicht!« riefen die Großmutter und die Mutter und die Schwester.

Lollipop bekam seine Geburtstagsparty trotzdem. Weil am 1. April schönes Wetter war, weil Lollipop im ganzen Haus allgemein beliebt war und weil der gemischte Otto nicht nur gute, sondern hin und wieder auch geniale Einfälle hatte.

»Wozu«, sagte der gemischte Otto zu Lollipops Großmutter, als sie Bandnudeln kaufte, »wozu haben wir denn hinter dem Haus einen großen Hof?«

»Zum Teppichklopfen«, sagte die Großmutter, »und für die Mistkübel und für die Spatzen.«

»Und für Geburtstagspartys«, sagte der Otto.

»Davon steht aber nichts in der Hausordnung«, sagte die Großmutter.

»Von den Spatzen steht auch nichts in der Hausordnung«, erklärte der gemischte Otto.

»Na, dann werd’ ich einmal die Mieter fragen, ob sie nichts dagegen haben«, sagte die Großmutter.

Die Mieter hatten nichts dagegen. Bis auf den Herrn Rusika aus dem zweiten Stock. Der wollte nicht. Doch die Hausmeisterin schimpfte mit ihm. Und als das Schimpfen nichts half, sagte die Frau Bierbaum: »Also stimmen wir ab!«

Im Haus wohnten – außer Lollipop und seiner Familie, die nicht mitstimmte – zweiundzwanzig Leute. 21 : 1 war das Abstimm-Ergebnis. Zu Lollipops Gunsten natürlich. Da war der Herr Rusika eindeutig überstimmt.

Am 1. April kamen fünfundzwanzig Kinder in den Hof hinter Lollipops Haus. Die Frau Leitgeb machte ihr Schlafzimmerfenster weit auf und stellte den Plattenspieler auf höchste Lautstärke und legte Beatles-Platten auf. Der Herr Bierbaum brachte Holzkohle und einen alten, großen Ofenrost in den Hof. Die Frau Bierbaum spendierte sechsundzwanzig Paar Frankfurter und den

Senf dazu, und der Herr Bierbaum grillte die Frankfurter auf dem Ofenrost über der Holzkohle knusprig braun. Die Hausmeisterin brachte drei sehr große Marmorkuchen und eine Doboschtorte; alles selbstgebacken. Lollipops Schwester hängte Faschingsschlangen über die Klopfstange und über die Mistkübel. Lollipops Großmutter richtete auf der Kohlenkiste vom Herrn Rusika eine richtige Tombola her. Mit Losen und Preisen. Und jedes Los war ein Treffer. Man konnte Bleistifte gewinnen und Kaugummi und Radiergummi und Blechfrösche, die quiekten. Lollipops Mutter, die ja diesen Monat knapp mit dem Geld dran war, machte den Spiele-Leiter. Sie kannte eine Menge Spiele. Außerdem war sie die Erste-Hilfe-Station. Sie verpflasterte dem Egon das linke Knie. Der war beim großen Eier-Lauf hingefallen und hatte sich die Haut abgeschunden. Der gemischte Otto brachte vier Kisten Cola und eine Kiste Zitronenlimonade. Der Herr Albrecht aus der Drogerie schenkte den Kindern alle Sternspucker, die von Weihnachten übriggeblieben waren. Die hängte Lollipop auf die Wäscheleine, und es war, als er sie anzündete, fast wie ein Feuerwerk.

Es war ein Superfest! Der Herr Rusika allerdings machte seine Fenster zu, und weil das Fest auch bei geschlossenen Fenstern ziemlich laut zu hören war, kam er in den Hof hinunter und beschwerte sich. »Das ist ja eine Zumutung«, rief er. »Da fallen einem ja die Ohren ab«, schrie er. »Ich verlange, daß alle Kinder den Mund halten und stumm weiterfeiern!«

»Kommt ja aber schon gar nicht in Frage«, sagte die Hausmeisterin. Sie nahm einen Papierbecher und ging mit dem zuerst im Hof bei den Großen absammeln und dann zu den Wohnungstüren. »Ich bitte um eine kleine Spende«, sagte sie. Der gemischte Otto, die Oma, die Frau Leitgeb, die Bierbaums und auch die anderen Mieter gaben ihr eine kleine Spende. Es kam so viel Geld zusammen, daß es für eine Kinokarte für den Herrn Rusika reichte. Sie schickten ihn auf die Hauptstraße hinunter. Dort spielten sie im Nachmittagsprogramm einen Film, der hieß »Tal des Schweigens«. Jetzt störte niemand mehr das Fest.

Dann begann es ein bißchen zu regnen. Aber wirklich nur ein bißchen. Die Oma lief im Haus herum und borgte sich Schirme. Über ein Dutzend Schirme. Die brachte sie in den Hof hinunter, und die Kinder tanzten unter den Regenschirmen. Besonders von oben – von den Stockfenstern aus – schaute der Regenschirmtanz wunderschön aus. Der Herr Bierbaum filmte ihn mit der Schmalfilmkamera, in Farbe. Beim Schmalfilmwettbewerb seines Filmklubs bekam er später dafür den zweiten Preis.

Als es zu regnen aufhörte, klappten die Kinder die Schirme zu und waren wieder unheimlich hungrig. Feste machen leider sehr hungrig. Die Würste waren aber schon aufgegessen und die Marmorkuchen auch. Bloß ein paar belegte Brote lagen noch herum, doch die hatte es ziemlich angeregnet. Die mochten die Kinder nicht mehr. So brachte der gemischte Otto ein paar

Schachteln mit Nougatstangen und Schokoladebrezen aus dem Geschäft. Und Sackerln mit Gummibären und Eibischzucker. Und eine Schachtel Schlecker mit Stiel, Marke LOLLIPOP / MADE IN USA.

Den Kindern schmeckten die Nougatstangen und die Schokoladebrezen. Auch die Gummibären und den Eibischzucker mochten sie. Die Lollipops blieben in der Schachtel. Waldmeistergeschmack ist eben nicht jedermanns Sache.

Nur der Tommi nahm sich einen Schlecker mit Stiel. Der Tommi hatte gar nicht richtig mitgefeiert. Bloß zugeschaut. Getanzt hatte er auch nicht. Und der Egon hatte Lollipop schon zweimal gefragt: »Wer ist denn eigentlich der stinkfade Kerl, der dauernd unter der Klopfstange hockt und mit niemandem redet?« Dabei hatte er auf den Tommi gezeigt.

Nun saß der Tommi wieder unter der Klopfstange. Er schleckte an seinem Lollipop. Ganz dünn und durchsichtig war der Lollipop schon.

»Lollipop«, sagte die Mutter zu Lollipop, »sei so lieb und kümmere dich ein bißchen um den Tommi. Der schaut so einsam aus, der arme Kerl! Keiner redet mit ihm!« Lollipop konnte sich nicht gleich um den Tommi kümmern, denn zuerst mußte er Cola nachschenken, dann mußte er einen Ehrentanz mit der Hausmeisterin machen, und dann zeigte ihm Heidegunde ein neues Spiel. Als sich Lollipop danach um den Tommi kümmern wollte, hockte der Tommi nicht mehr unter der Klopfstange. Da tanzte er mit der Erika. Und dann

redete er mit dem Egon, und dann tanzte er mit der Gabriele. Und als der nächste Tanz begann, ließ der Tommi die Gabriele stehen und ging auf die Eveline mit den Parma-Veilchen-Augen zu.

Na, der bist du garantiert zu langweilig, dachte Lollipop, und Geld hast du ja auch keins! Der Tommi war noch ein paar Schritte von Eveline entfernt, da lief ihm die Eveline entgegen, lächelte ihn aus den Parma-Veilchen-Augen strahlend an und rief: »Komm, tanzen wir zusammen, Tommi!«

Das gibt's doch nicht, dachte Lollipop. Das ist doch glatt unmöglich! Und wie er genau hinschaute, sah er, daß der Tommi den grünen Lollipop vor dem rechten Auge hatte. Das linke Auge hatte er zugekniffen.

Lollipop holte die Schachtel mit den Lollipops. Mindestens drei Dutzend Grüne waren noch drinnen. Er tat den Deckel auf die Schachtel und nahm einen Bindfaden und machte ein festverschlossenes Paket aus der Lollipop-Schachtel.

Um sechs am Abend war die Geburtstagsparty zu Ende. Heidegunde sagte zu Lollipop: »Lollipop, dein Fest war viel lustiger als meines!«

Egon sagte zu Lollipop: »Es war überhaupt das lustigste Fest, auf dem ich je gewesen bin!«

Sogar dem Rehrattler der Hausmeisterin hatte das Fest Spaß gemacht. Er war auf dem Küchenfensterbrett der Hausmeisterin gesessen und hatte vor Freude gezittert und mit der Musik gejault.

Als letzter von allen Kindern ging der Tommi nach

Hause. »Es war so schön wie noch nie im Leben«, sagte er zu Lollipops Großmutter.

Lollipop drückte Tommi die Lollipop-Schachtel in die Arme. »Da«, sagte er, »da hast du. Ich brauche sie nicht mehr.«

Der Tommi schaute die Schleckerschachtel an, schaute Lollipop an, schaute wieder die Schleckerschachtel an.

»Das sind merkwürdige Schlecker«, sagte er.

»Sie schmecken gut«, sagte Lollipop.

»Das ist es nicht«, sagte der Tommi. »Ich bin da auf etwas draufgekommen. Ganz durch einen Zufall. Wenn man die Schlecker abschleckt, so daß sie ganz dünn und durchsichtig werden, und wenn man sie dann –«

»Ich an deiner Stelle«, unterbrach ihn Lollipop, »würde kein weiteres Wort darüber verlieren und sie nehmen!«

»Gern, wenn du magst«, sagte der Tommi. Er packte sich die Lollipop-Schachtel unter den Arm und ging nach Hause. Lollipop schaute hinter ihm her und war sehr froh.